韓国人として生まれ、日本人として生きる。

〜新日本人による日韓比較論〜

シンシアリー
SincereLEE

扶桑社

はじめに　～１００％日本人～

初めてお目にかかります、またはお久しぶりです。

私はシンシアリー（Sincere LEE）という名前で本を書いたりブログを書いたりしているもので、１９７０年代に韓国で生まれ育ちました。かれこれもう20年ぐらい前からこの名前でネットを介して日本側の皆様とコンタクトを取り、それから反日思想や併合時代関連でブログを書いていたら、いつのまにか作家として、日本で暮らすようになり、いまは帰化して日本人になりました。

韓国にいた頃、徹底した愛国・民族主義教育を受けて育ち、本業は歯科医師でしたが、いまはこうしてシンシアリーとして日本で原稿を書いていますから、事実は小説よりも奇なり、不思議というか奇異というか、そんなところです。

そして、日本に移住して5年が過ぎ、6年目に帰化できました。帰化には住民としての5年間の滞在が必要なので、ものすごく早い帰化になります。いまは、誰に何を言われようと「私は日本人です」と、誰に対しても自信を持って言えます。

そんなに１００％日本人になったのか？　と言われますと、そこはどうでしょうか。そういう自信があるという意味ではありません。「私は日本人だ」に自信を持たないと、日本人としての人生はいつになっても始まらないからです。

本書は、そんな私の帰化に関する話です。韓国人でありながら反日思想を批判する変わった立場だったため、「日本を好きになってくれてありがとう」とか「日本人になったことを歓迎します」などの、ありがたいお言葉もいただいておりますし、「どうせ日本を利用するだけ」「シンシアリーは北朝鮮のスパイだ」「実は日本人だ」などの話も耳にします。そういえば女性だという話もありましたが、最近は聞きません。

ただ、どのような言葉をいただこうと、嘘を書いた覚えはないし、自分で決めた自分の人生、昨日も今日もたぶん明日も、楽しく幸せに生きております。「韓国人として生まれて、日本人として生きる」こと。別にそうしたければそうすればいいじゃないかと言ってしまえばそれまでですが、そう簡単にもいかないのが、「生まれ育った」という概念の力。

どういう心境で、どういう経緯で、そして何をどうやって、日本人として生きると言うのか。本書はそんな話になります。硬い話も出てきますし、不愉快な話も出てきます。でも、退屈にならないよう、心がけました。ぜひ最後のページまで、ご一緒できればと願ってやみません。

２０２３年　夏

日本人　シンシアリー

目次

第1章　韓国と日本の狭間で

第3章

「キムバップ（海苔巻き）」と併合時代

第4章

韓国で失われつつある「マコト」

第5章

韓国で感じた「閉鎖感」の正体

第6章 韓国人の「遵法《じゅんぽう》精神」

第7章 日韓の「架け橋」にはならない

序章

シンシアリー、日本人になる

母から教わった「併合時代」の事実

私は本を書きながら「はじめに」、詳しくは、自己紹介がもっとも苦手です。人前で自己紹介するのは、そこまで苦手ではありません。大学でも何かの発表役として評判が（たぶん）良かったし、歯科医師だったこともあって、何かを人に説明したり、発表したりするのも、そう苦手ではありません。

ただ、『シンシアリー（SincereLEE）』としての自己紹介は、いつも苦手です。自分自身の立場が、良し悪しは別にして、かなりユニークなものであり、一歩間違えれば「韓国は反日超大国ですけどね、私はいい人ですからね、ね？　ね？」な文章だと思われる可能性もあるので、書きながらいつも気が進まず、また恥ずかしくなります。

でも、本書は、私、シンシアリーが、『日本人になりました』という感謝の本です。まさに、心願が成就され、ありがとうございますと書くための本です。なのに、読者の方々から「で、あんた誰だよ」と言われるようでは、話がスムーズに進まないでしょう。そこで、珍しく、「シンシアリー」のことを、いつもよりは詳しく自己紹介したいと思います。

私は、韓国ソウルの、儒教思想が強い、そして当時としてはかなり豊かな家に産まれました。もともと韓国は儒教思想が強いと言われますが、当時はいまよりさらに強く、きちんと先祖に祭祀《さいし》を捧げるのはもちろんのことで、（親はとにかく長男が面倒をみないといけないので）政府に福祉を要求するのは親不孝者のやることだ、そういう社会雰囲気でした。

父は長男だったので、うちはそのなかでも儒教思想「的」な雰囲気が強いほうでした。それが本物の儒教思想からすると適切なものかどうかは分かりませんが、少なくとも当時の韓国の社会雰囲気としては。

親は、当時としては珍しい「親二人が共に大学卒業」というインテリで、ふたりともかなり開放的な性格でした。最近は40代に出産される方も珍しくないと聞きますが、１９７０年代、母は40代で私を産みました。これは、当時の韓国では勇気ある決断でした。父も母も、クラスの他の子の親より年上で、朝鮮戦争の日（6月25日）になると、朝鮮戦争がどれだけ苦しいものだったのか、母がクラスで教師代行をしたりしましたが、それは、母が相応の教養を身に着けていたからでしょうけど、クラスの他の子の親は、朝鮮戦争を直接体験していなかったからです。

母から聞いた朝鮮戦争のエピソードは、リアルで、恐ろしいものでした。汽車に大勢の人たちが（列車の中はすでに満員で）屋根の上に座り、一瞬でも寝てしまうとそのまま落ちて亡くなったり、行方不明者になったりしたといいます。それは、学校やテレビ、本などで読んだ朝鮮戦争の話ととても似ていて、まさに母は「生きた証人」のようなものでした。

しかし、併合時代については、逆でした。母は、併合時代に小学校に通っていました。併合時代のことを、韓国では一般的に「日帝時代」といい、2000年代からは北朝鮮発の「日帝強占期」という言葉が広く使われるようになりましたが、1970年代、1980年代には、大人たちは「韓日合邦（ハニルハッパン、日韓併合）」という言葉を普通に使っていました。

韓国では併合時代を違法統治だったとし、併合そのものを無効（違法）だと主張しています。しかし、朝鮮末期に朝鮮の皇帝が条約によって併合に同意した記録、併合時代に日本軍に志願した人たちの記録など、大勢の記録が残っているため、なにがなんでも「強制だった」という側面だけを強調しています。「徴用」を、わざわざ「強制徴用」と言ったりするのも、そのためです。

日帝強占期という北朝鮮の言葉をわざわざ輸入（?）したのも、強制だったという意味を浮き彫りにするためです。「日帝時代（日本帝国主義時代）」だと、併合が違法だったとか強制だったとか、そんなニュアンスはありませんから。

逆に、韓日合邦の「合邦」は、二つの国を一つに合わせるという意味があり、強制や主従というイメージはあまりありません。日帝強占期という表現が一般的になったいまでは信じられないことですが、1980年代初頭まで、大人たちは普通に韓日合邦と言っていました。最近は、一部の保守派知識人の寄稿文でもないかぎり、聞かなくなりました。あとでまた少し触れることになりますが、このようなことを韓国では「言語順化」、または「言語浄化」とします。

「国のため」と「募集」されていた慰安婦

母もまた、合邦という言葉で併合時代を話していましたが、それは、学校やテレビ、本などで見る「民族抹殺を試みる邪悪な日本」の姿ではありませんでした。日本人の子供たちがあまりにも洗練され、頭も良かったので、母は……なんというか、いまどきのネット用語で「劣爆（劣等感爆発）」でもしたのか、死ぬ気で（本人談）熱心に勉強しました。それで成績が上がったら、いつのまにか日本人の子供とも仲良くなって、学級委員にまでなったとか、そんな感じの話がほとんどでした。

特に、母は街で慰安婦を「募集」していたという話もしていました。なにかのジェサ

（この場合、家庭で捧げる祭祀）のあと、大人の女性たちが部屋に集まっていろいろ話しながら楽しむ、そんな場だったと記憶しています。

慰安婦募集業者たちが、派手に募集していて、「これこそ国のためです」とも強調していたそうです。小学生だった母は、国のためという言葉につられたものの、慰安婦が何なのかは誰も教えてくれなかったそうです。そこで、叔父さんに「慰安婦になります」と言って、「それが親（広い範囲で？）の前で言うことか」と怒られ、半分ぐらい殺された（この場合「とんでもなく叱られた」の意味）とか。その叔父さんという方、早く亡くなったので私は会えませんでしたが、併合時代に商売で大きく成功し、そのお金のおかげで朝鮮戦争での避難もさほど苦労しなかったと、大人たちは何度も話していました。

「邪悪な日本」に疑問を抱いたきっかけ

まだ韓国で慰安婦というものが話題になるかなり前の話です。韓国側が「日帝に少女たちが強制連行された」としながら慰安婦問題を提起したのは、１９９０年代、しかも後半になってからです。１９８０年代まで、慰安婦という言葉は普通に性売買事業に従事する女性たちのことで、もっとも一般的なのが「米軍基地で米軍を相手する女性」という意味でした。テレビや新聞などで、よく出てくる単語でした。「洋公主（ヤンゴンジュ）」という言葉もありますが、それは慰安婦よりは低俗な表現となります。公主というのはプリンセスのことですから、意地悪な皮肉です。

慰安婦という言葉はもっと一般的で、古い新聞記事にも普通に出てきます。小学生だった私は、「相手する」の深い意味までは分からなかったと思いますが（笑）、併合時代にも慰安婦というのがあったんだ、と意外でした。そもそも、1980年代の子供にとって米軍とは正義の味方のような存在だったので、「あんなことやこんなこと」をするとは想像もしませんでした。

父はソニーのビデオデッキを持っていました。いま思えば、相当なマニア（オタク）だったのかもしれません。1980年代、一部の大企業が日本のアニメを正式輸入するなど、相応の努力が無かったわけではありませんが、そもそもビデオデッキの普及率が低く、正規品と海賊版の差も分からない人が多かったので、ほとんどのビデオテープは海賊版でした。

そういえば、「デウ（大宇、DAEWOO）」という会社が日本のアニメ「特装機兵ドルバック」や「超攻速ガルビオン」など、当時の韓国社会からするとすごく大人向けのアニメを正式輸入したりしましたが、残念ながら最終回まで出ることなく、途中でリリース中断となりました。ちょっと「早すぎた」のかもしれません。

海賊版といってもいろいろ種類があり、一応韓国語ダビングまで頑張ったハリウッド映画もあれば、タイトルと中身が別物というとんでもないものまでありました。そして、その中には、単に日本または日本のテレビ放送が受信できる地域（釜山《プサン》などで受信できたと聞いたことがあります）で、アニメやショーなど日本のテレビ番組を録画して、それをソウルで売る人たちも大勢いました。

うろ覚えですが、家では「ギンギラギン」という歌詞の歌（『ギンギラギンにさりげなく』）の評判がすごく高かったと記憶しています。それらショーやアニメや特撮、ドラマなどにハマったこともあって、あとで、母は私に日本の特撮番組などが表紙になっているテレビ雑誌を買ってくれるようになりました。「きっと何かの役に立つから、日本語を学んでおくといい」、と。

思えば、人生の進行方向がこのときに決まったのかもしれません。その過程で、韓国社会の「反日思想」に現れている「邪悪な日本」の姿に、大きな疑問を抱くようになったのは、言うまでもありません。

「公衆保健医師」として兵役《へいえき》を務める

これもまた記憶が曖昧《あいまい》で恐縮ですが、「シンシアリー」という名前を使うようになったのは、いまから20年以上前のことです。韓国には兵役制度があり、免除とされる疾患はあるものの、基本的に例外はありません。ただ、代替制度はいくつかあります。医師、歯科医師、漢方医師の場合は、普通の兵役（韓国では「現役［ヒョニョク］」とも言います）には就《つ》かず、合法的な代替として、軍医と公衆保健医師の二つを選ぶことができます。

軍医はそのまま兵隊で勤務する軍医のことで、将校となります。ただ、軍人なので、各種制限も軍人のままです。大学を卒業してすぐには兵役に就かず、大学の病院などでもっと専門的な過程を修了し（この場合は合法的に兵役延期が可能です）、それから兵役に就く場合、この軍医の道を選ぶことができます。

大学を卒業し、これといった修了過程を経ず、田舎の保健所で患者を診療する制度を「公衆保健医師」制度と言います。こちらは軍人ではなく準・公務員の身分となるので、他地域への移動に事前申告が必要だったり多少の制限はありますが、現役や軍医に比べると大した制限もなく、退勤した後はのんびり過ごすこともできます。

私は、当時、韓国が経済破綻《はたん》した影響で経済が大いに悪化、親も持病で亡くなるなど家の事情が激変していたので、少しでも早く現場で活動したくて、後者を選びました。公衆保健医師になった私は、「面（ミョン、行政区域の一つ）」から支給される小さな部屋で暮らしましたが、やがて、田舎にも、ある程度は使えるネットが利用できるようになりました。

当時、韓国は国家レベルでインターネット普及を進めていたため、田舎の役所でもその指針に沿って、ネット事業を積極的に進めていた、と聞いています。しかし、パソコンを持っている人はほとんど見かけず、たとえ持っていたとしても、どこで使っていたのかはよく分かりません。私も公衆保健医師の給料ではちょっときつかったけど、部屋にインターネット環境を用意しました。それは、実に恵まれた環境でした。夜になると冗談抜きでなにも見えなくなる、夜空に星だけが輝く、スーパー田舎でしたので。

「シンシアリーのブログ」の出発点

そして、もともと住んでいた街に出かけてパソコンを新調し、せっせと繋《つな》げて、インターネットで日本側の掲示板などにも接続し、長年夢見てきた「日本側の人たちとのコンタクト」に成功しました。パソコンと言っても日本語での書き方が分からず、書くことよりも、読むほうをメインとしました。たまに書くとしても、ローマ字で「Konnitiwa（こんにちは）」と書くしかありませんでした。実は、外国語のＩＭＥ（入力編集プログラム）が内蔵されていなかっただけで、ダウンロードすれば日本語も書けるようになりますが、それに気づいたのはもう少し後でした。

余談ですが、日本ではスマホ以前の携帯でも普通にネットが利用できましたが、韓国、というか日本以外の国は、スマホが普及するまでは携帯でインターネットするという文化がありませんでした。よって、日本側のネットにアクセスできるのも、部屋でパソコンを使うしかありませんでした。無線ネットに接続できる機器も少なく、スピードもイマイチで、仕事が終わったあと、夕方以降だけ、たまに接続していたと記憶しています。初めて日本を旅行したのが２００５年でしたが、あのとき、携帯でインターネットする姿、タクシーにナビゲーションがついていること、トイレのウォシュレットなどに、ものすごい衝撃を受けたことを、いまでも覚えています。

２０００年代になって、韓国で高速インターネットが本格的に普及し、２００２年の日韓ワールドカップなどが話題になり、私も公衆保健医師から卒業、無茶ではありましたが、借金で歯科医院を始めました。それからは、患者がいないときは医院の自分の部屋からもネットが使えるようになったので、以前よりネットの活動が増えました。

いまはもうありませんが日韓交流を目的に設けられた某翻訳掲示板、日本の2チャンネルなどに関わるようになり、日本語でも書けるようになり、ついには自分で日本の「アメーバブログ」に、日本語ブログを始めました。それまで使っていた「SincereLEE」という名前から、「シンシアリーのブログ」と名付けました。いまも独自ドメインで続けています。

「韓国が嫌い」だからではなく「日本が好き」で帰化

それが、かれこれ20年前になります。書くことは決まっていました。日韓友好の雰囲気を全否定する気はないものの、日本はもっと韓国社会の反日思想を「知る」必要がある、という内容でした。そのあと、日韓ともにネットが普及したこともあり、韓国側のとんでもない日本観は日本でも知られるようになり、私もまた、扶桑社の方々に声をかけられ、こうして本の原稿を書くことになりました。

それから、いろいろなことがありました。大勢の方々に支持され、また大勢からは反発されました。日本では私が思った以上に、私の考えに理解を示してくれる方々がいました。

韓国では逆で、一部のメディアに「シンシアリーは正体を現せ」と記事が載ったりもしました。日本へ移住した後ではありますが、韓国の地上波テレビの某番組が、「日本人におもねて大金持ちになった男」というタイトルで私の正体探しをしたり、私が住んでいたところを特定してカメラが入ったりしました。その場所が「あたり」だったかどうかは、ノーコメントとさせてください。

そういう、ほのぼのした（達観するとこう見えます）こともありましたが……別に、帰化したのは「亡命した」わけではありません。実際に受けた被害も証明できないのに亡命も何もないでしょう。私は韓国から逃げてきたわけでも、韓国を捨ててきたわけでもありません。日本の一部になりたくて、自分の意志で、合法的に日本の許可を得て、帰化しました。「韓国が嫌いで」ではありません「日本が好きで」私は帰化しました。

歯科医師をやめて日本に行くことはそう簡単ではありませんでした。でも、いつまでも若いわけでもないし、もうそろそろ動かないと、と思うようになりました。歯科開院のための借金を全て返し、ある程度は経済的に余裕が出来てから、無数に日本旅行を繰り返しました。その間、日本社会の一部になりたいという願いもまた、どんどん大きく、そして深くなりました。

俗な話ですが資産も十分に貯まったので、いまより約6年前、扶桑社の方々の助けを得て「作家（在留資格カテゴリー「芸術」）」として日本での滞在が許可され、それからは「日本の住民」の一人として暮らすことになりました。もちろん、最初から「住む」覚悟で来たので、すでにその時点で帰化を意識していました。移住の準備をする間、もっとも気になったのは、やはり診ていた患者さんたちのことですが、良い先生にちゃんと引き継ぎできました。

もう一つは、「血」に関すること、いわば民族主義的な考え方でしたが、これもなんとか克服できました。「名前を変えない」こと、すなわち自分の「連続性」を維持することこそが、１９００年代になってから急造された朝鮮半島の「民族主義思想」などよりずっと大事だと気づいてからは、あまり気にしなくなりました。これについては前著（『日本人を日本人たらしめているものは何か』扶桑社）でも書きましたが、重複しないように気をつけて、他の章でもう少し述べたいと思います。

日本で暮らして分かった韓国の「対人関係」

日本で住民として暮らした6年間は、それらの悩みをすべて吹き飛ばすほど、有益なものでした。観光客だったときには気づかなかった心地よさがあり、多少はぎこちないと思っていたことも、自分自身の中で「まわりに合わせないと」という本能のような感覚が強くなり、いつのまにか気にならなくなりました。書くとキリがありませんが、もっとも代表的なのは、「干渉が少ない」というものでした。社会の同調圧力について、悪く言う人が多いですし、実際、やりすぎると同調圧力ほど面倒くさいものもありませんが、私はある程度の同調圧力は必要だと思っています。要は、その範囲です。

もう少しわかりやすく書きますと、韓国社会には、「『距離感』と『無視』を同じものだと考える」人が多すぎます。人間関係で適切な距離を維持するというのは、なかなか難しいことです。こういうのはあくまで国家単位ではなく、個人単位で考えるべき問題かもしれません。ただ、だからこそ個人的な感覚を率直に書きますと、韓国人は人間関係に深入りしすぎることを、「情に厚いこと」とします。相手の領域、もっとわかりやすく言えば「自分の領域ではない領域」に踏み入ることを、「優しいこと」「人間関係で役に立つこと」と認識します。

だから、韓国人は、仲間（友人）ならもっと干渉すべきだとする考えが根強く、適切な距離感を取ることを、無視した（または無視された）と認識することも多々あります。韓国に住む外国人の中には、「韓国人は多情多感だ」という話をする人もいます。本当にそういう人たちに囲まれているだけかもしれませんが、私の場合、それはとても疲れることだと思っています。何せ、そういう関係、本当に多情かどうかはともかく、社会的に多情とされる関係は、あくまで自分自身が属しているグループ（集団）の中だからこそできるものであり、これが日本のネットなどで取り上げられる「ウリとナム」現象の一因でもあります。「ウリ（私たち）」に対しては必要以上に関わり、違法的なことまでかばおうとするのに、「ナム（他人）」に対しては、必要以上に無関心、または敵対してしまう現象を言います。

昔は韓国内でもこの問題を指摘する人が多く、一部の心理学者は社会問題として「ウリイズム」と呼ぶ場合もありましたが、２０００年代になって韓国で「自民族優越主義」な考え方が強くなってからは、「韓国人に対するそういう否定的な見解は、１９００年代になって、日本が朝鮮民族の誇りをつぶすために仕掛けた植民地政策の一環にすぎない」という主張が広がり、最近はほとんど目にしなくなりました。

さらに頭痛いことに、その「情」は、決して対等な関係ではありません。些細《ささい》なことで、必ず主従関係、上下関係が出来上がります。幸いなことに、最近の若い世代ではずいぶん改善されたという話も耳にしていますが、まだまだ一般論として、「年齢1年差でも、先輩後輩にはなれても、友にはなれない」と言われている韓国社会。誰かが施した「情」は、「貸し」となり、相手に「返済」を求めるようになります。私はここまでお前に気を遣っているのに、なぜお前は私を無視するのか、と。

韓国で暮らしたことがある人なら、「あなたが私に『こうしてはいけない』（너, 나한테 이러면 안돼）」という慣用表現を耳にしたことがあるでしょう。たとえば、お金を貸してくれと言われて断られたときなどに、よく使います。

なぜ「いけない」ことなのか。なんというか、人倫的に、天倫的にいけないという意味です。いままでの「情」があるから、貸してくれないという選択など「あってはならない」という心理が投影された表現です。繰り返しになりますが個人の環境それぞれで、年齢、世代にもよるでしょうけど、人によってはあまりにも当然のように「金、貸してくれるよね？」と言ってきたりします。まるで、感情的な理由で「日本は韓国に無条件で配慮しなければならない」と考える韓国外交を見ているようです。

ほら、あれです。日韓関係関連のニュースやブログのコメント欄などを見てみると、たまに「韓国って、散々日本に不満を言っているのに、なぜか日本を『ウリ』だと思っているように見える」という内容が書いてあります。その感覚と似ているのかもしれません。

韓国側は併合時代のことなどを理由に「だから、日本は韓国を助けなければならない」とし、最近ではG7加入国を拡大し、韓国をG8として迎えることで、日本は協力しなければならないという記事が多く載っています。理由は、「尹錫悦《ユンソンニョル》政権が日本に手を差し伸べたから」とか、「韓国は、単に日本が反対しているからG8になれないでいる」などです。

こちらは恩など受けた記憶も無いし国家間の条約などもちゃんと守っているし、手を差し伸べたもなにも、そもそも両国関係で問題を起こすのはいつも韓国側なのに、相手は「配慮」「人倫」などを名分に責めてきます。スケールが違いすぎる気もしますが、韓国社会の対人関係というのは、そんなものです。

人を見下すためにも使われる「チング（友）」

韓国で言う「友」は、中国語の「親旧」、または「親故」を語源とし、「チング（親旧）」といいます。使い方は日本語の「友」とほぼ同じですが、シチュエーションによっては相手をちょっとだけ見下す表現にもなるのが特徴です。

たとえば、道端で何か迷惑な行動をする人がいた場合、「本当に迷惑なチングだな」と言います。本当に知り合いだからチングと言うわけではなく、チングという言葉に、相手を「躾《しつけ》」する意味も含まれているからです。それほど攻撃的な表現ではありませんが、相手からすると明らかに見下されたこととなります。だから韓国では、何か気に入らないこ

とで怒ったときに「私はお前のチングか？（내가 네 친구냐？）」と叫んだりします。私が、お前からそういう躾っぽいことを言われて黙っている存在に見えるのか？　なんで私を甘く見るのか、そういう意味です。

結局はシチュエーションと「言い方」によるものでしょうけど、これは日本語の「友」にはあまり無い使い方です。これは、韓国社会では友だちの間でも、職位や年齢などで上下関係、躾を「する」側と「される」側が存在するからこそ、このような使い方が出来上がったのではないか。私はそう見ています。これは完全な私見で、論拠となる資料などはありません。ただ、親しい仲なのに、年齢1歳の差で「兄と呼べ」とマジで喧嘩《けんか》する人たちを無数に見てきました。

このような「情」関係をよく表すことわざがあります。「追友江南（チュ・ウ・カン・ナム）」です。いくつかバリエーションはありますが、「チングについて江南に行く」と言います。ここでいう江南はソウルではなく中国の江南地域を韓国語読みしたもので、一時はとても繁栄した都市の代表格でした。中国にある、かなり遠いところだけど、チングが行くからとりあえず一緒に行く、ということです。なぜなら、チングだからです。

ここで重要なポイントは、「私は行きたくない」という行間を読むことです。国文学者キム・スンヨン氏は2019年9月23日の京郷新聞の寄稿文で、「友だちについて江南に行く」には二つの使い方があるとします。一つは、単に友だちが好きで何でも一緒にするという意味ではあるけど、一般的な使い方としてはマイナーです。もう一つは、やりたくもないのについていくしかない、なぜなら友だちだから、そういう意味です。これが一般的な使い方で、どちらかというと、否定的な意味で使うことが多い、とも。

私も同意見です。寄稿文はこう続きます。

「実は嫌だけど、事実上、強制的に一緒にすることが多いだけです。しかし、私たちはウリだよ！　と強調する人ほど、あとで、何かを要求してくるものです。群れをなしていると、『おまえって、江南にも行ったことないのかよ』と言われたとき、『行ったこと無いんだけど』と答える勇気が無いからです。だから、行ったことがある、と言うために、とにかく真似をしてみるわけです」。

この「情」な関係、ウリな関係は、本当に疲れます。「社会（公）」より「ウリ（私）」を重視する風潮は根強く、社会のルールよりもウリのルールを優先するこの現象は、狭い村で暮らすだけならともかく、多くの選択を楽しむことができる現代社会においては、ただの足枷《あしかせ》になったりします。日本のように「同じ趣味」の人が集まる機会が少ない、部活文化とか、オタク文化とか、そういうものが弱いのも、一つの理由でありましょう。この「江南に行く」のことは、すぐあとに日本旅行に関して書くときにも、関連した内容を取り上げたいと思います。

日本社会が包んでくれた「人間関係の適切な距離感」

日本に来てから、韓国にいたときに比べると、歯科医師協会関連の学術大会とか、地元歯科医師協会の会合とか、そんな機会が減ったのは事実です。でも、新型コロナ期間以外は、出版社の方々と会ったり、自動車教習所に通ったり（韓国の免許証も使えますが右ハンドルに慣れるため取り直しました）、マンション組合に入ったり、地元のイベントや教育プログラムに参加したり、いくつかのコミュニティー活動に参加しました。

旅行好きというのもあっていろいろなところを訪れ、大勢の人たちと会って、公共施設を利用したりしました。そういう暮らしの中、私は明らかに「適切な距離感」というものに気づきました。韓国では、こういうのを「日本人は薄情」「冷たい」「本音を言わない」「人を無視する」とします。特に、この無視されるというものは、韓国人がなにより憤怒する行為です。

しかし、それらは、日本で私を包んでくれた心地良さの一つです。尊重するからこそ介入しないのです。どちらかというと、わざわざ介入される（介入される必要がある）ことこそが、恥ずかしいことでしょう。私にそこまでする必要が無いから、この人は大丈夫だから、距離感を置くわけです。

身の回りのことはあまり書けませんが、私はこの日本社会の「人間関係の適切な距離感」が、心地よく感じられました。いわゆる「放っておいて頂戴《ちょうだい》」を全て肯定するつもりはありませんが（実は構ってほしくてそんなことを言う場合もありますし）、そういうこと一つ一つ気にしていたら何も書けなくなりますから、あえて自分なりの一般論として、それは心地よいものだと断言できます。

これがあるから、日本には「ウリとナム」現象が弱いのではないか。そんな気もします。韓国社会で良いとされる人間関係、あえて「ウリ同士」とやや端的な書き方をしますと、その関係において「お互いの領域に踏み入る」ということは、ある意味、ニーチェの言葉とも通じる部分があります。「人生をただ楽に過ごしたいと思う人は、自分というものが無くなるまで、群れをなさずにはいられない人たちと混ざるがいい」。

先も書きましたが、自分が属した集団だけを優先しすぎる「集団利己主義」、すなわちウリとナム現象が強くなっているのは、これが一つの原因です。そう、過ぎたウリの関係は、自集団以外はどことなく「私と一切関係が無いもの」、ひどい場合は「敵」とみなす傾向があります。日本人は、一般的に集団への「所属感（belonging）」を重視すると言われていますし、実際、自集団への愛着が半端ありません。しかし、自分の集団も「社会」の一部だということを、また重視します。

この部分が日韓の差として現れやすいのが、ドラマや映画などです。韓国では、所属感を語りながらも、どこか「他集団との対立」、または「分断」、すなわち善悪、復讐、貧富などテーマの作品が社会的に受け入れられやすいですが、日本では「自集団内での絆」、すなわち仲間や家族の絆、他集団に影響するテーマが受け入れられやすくなっています。これは私に負けないほど日本好きの、姪《めい》が日本のアニメやドラマを見ながらよく指摘する内容でもあります。「負けた側が、勝った側を褒《ほ》める（または、その負けから教訓を得て、相手だった人たちを助けることになる、など）」展開が本当に大好きです、と。

「こんにちは」が象徴する日本の素晴らしさ

アニメやドラマの話もそうですが、実際、韓国社会では「ウリではないものは私と無関係」という風潮が強く、日本では「（あえてこの単語を使うなら、ですが）ウリでないものも、私と無関係ではない」という風潮が根付いています。これは、決して「だから、私と何か関わりを持つべきだ」という面倒な話ではありません。

この考え方は、「こんにちは」に現れています。「こんばんは」ではだめですか、とかそんな意味ではありません。さすがに大通りで無差別に「こんにちは」を叫ぶ人はいませんが、マンションなどのエレベーターの中で誰かに会ったとか、近くに住んでいるとすれ違うとか、家の近くに郵便配達の方が立っていたとか、そんな些細な場合でも、日本では「こんにちは」という言葉を普通に聞くことができます。最近バスツアーの沼にハマってしまって、いろんなところにバスで移動することが増えましたが、隣に座る方から「よろしくお願いします」と言われたときには、びっくりしました。

何かを期待してのことではありません。「ただの表面的なもの」だとして、こういうのを嫌う人もいると聞きます。でも、「混ざる」人間関係「だけ」を至高とする社会で長く暮らしたからか、私はこういう「こんにちは」が好きです。ある意味、「些細なことではありますが、だからこそあなたと私は無関係ではありません」という感じがします。実際においてて何かの関係を期待するわけではありません。でも好きです。好きだから、私もよく言います。

口に出さなくてもいいでしょう。店の扉を開けて入るとき、後ろに人がいないか確認して、誰かがいたら、扉を開けたまま少しだけ待つこと。誰かがエレベーターから降りるとき、乗ろうとするとき、扉の「開」ボタンを少しの間、押し続けること。それらも「こんにちは」です。そう、そうやって関係が成立するわけです。些細なことでも、それは無関係ではありません。私は、そういう日本が大好きです。

もし韓国で見知らぬ学生から挨拶されたら？

忘れもしない、福島の三春《みはる》というところに、滝桜を見に行ったときのことです。まだ私は「観光客」でした。昼、滝桜の姿に感動して、夜のライトアップまで見たかったので、タクシーの方に「温泉とかあったらお願いします」とお願いしました。日帰り利用もできる温泉旅館で、ラジウム温泉でした。失礼ながら旅館名は忘れましたけど、三つの美という字が記憶に残っていたので（この原稿書きながら）ネット検索してみたら、たぶん「三ツ美屋（みつよしや）」で間違いないと思います。

風呂から上がってからフロントの方にタクシー呼んでくださいとお願いして、タクシーを待っていたら、高校生、かな、制服を来た二人が自転車に乗って通り過ぎながら、「こんにちは」と挨拶してくれました。しばらく、誰に言ったのか、人違いか、そう思いましたが、周辺には誰もいませんでした。

韓国人なら、たぶん、彼らが過ぎ去ったあとに独り言でこう言うでしょう……って、い

や、あのときは私も韓国人でしたけど、書きづらいですね、私も戸惑いましたけど、一般論として、韓国ではこう言うでしょう。「なんで知り合いのふり？（왜 아는 척이야？）」または、「なんで親しいふり？（왜 친한 척이야？）」。ネガティブに考え過ぎではないのか、と思われるでしょうけど、これは別に敵意があってそう言うわけではありません。

喧嘩を売る論調っぽく見えますが、それは「尊待（チョンデ、相手を上げる）」と「下待（ハデ、相手を見下す）」が極端に分かれている韓国語特有の現象です。別に敵意、悪意があってそう言うわけではなく、多少否定的な意味で面白いから、珍しいからです。そういうのは「ウリ」でもなければやらないものなのに、なんで知らない人がやるのか。これは面白い、と。

私はそこまでは思いませんでしたが、それから日本のこの「こんにちは」を理解し、私も真似するようになるまで、数年の時間が必要でした。それは、少なくとも「江南まで行かないといけない」とする関係「だけ」を良い関係だとする風潮よりは、美しいものでした。不思議な話ですね。「適切な距離感」を「無視されること」と勘違いする風潮が、お互いの「混ざる」関係を促し、それがさらに大勢の人たちを「自分とは関係ないもの」、すなわち「無視していいもの」にしているわけですから。

帰化に力を貸してくださったすべての方々に感謝

その間に、新型コロナという苦しい時期もありました。大勢の方々が亡くなった感染症。そんなもの、「無いほうがいい」に決まっておりますが、自然災害のような「避けられなかったもの」として思えば、そこから得られるものもありました。普通は耳の後ろ側が痛くなってあまり着用しないマスクを、それでも着用し続け（いつのまにか痛くなくなりました）、できるかぎり関連ルールを守ろうと頑張って、日本社会の方々と共に乗り越えたこと。これは、いまの自分にはちょっとした自負として残っています。「良いこと」ばかりだったなら、この感覚は得られなかったかもしれません。

そうやって、いろいろ見て、聞いて、考えて、感じて……そうしているうちに、いよいよ日本人になれました。帰化準備を進めたのは2022年です。帰化には、「住民として5年間以上の滞在」が必要です。詳しくいつなのかは書けませんが、2022年～2023年の、とある時期。帰化できました。

普通、特殊な立場……たとえばすでに帰化した人、または永住権を持っている人の家族とか、ずいぶん長く日本で暮らした（問題起こさず、ちゃんと加入すべきもの加入して、納付すべきもの納付しながら）人の場合は、帰化にかかる期間が短いという話も聞きます。でも、あくまで一般的に、帰化は受け付けから1年はかかると言われています。実は、受付ができるまでも結構時間がかかるので、全般的に1年と数カ月は考えたほうがいい、という話も聞きます。私の場合は有能な行政書士さんに出会えたおかげで、順調に進み、2022年の夏あたりに受付できました。

今年（2023年）の夏以降に結果が出るかな……と思っていましたが、それよりずっと早く、結果が出ました。あくまで個人的な感覚ではありますが、こんなに早く結果が出るとは、とびっくりしました。

連絡を受けて、妙な気分でした。神様に感謝致します。ブログを始めたからこそ夢を叶えることができましたし、ブログ及び本の読者の皆様にも、本当にありがとうございます。扶桑社はもちろんのこと、私の原稿を載せてくれた各メディアの方々、行政書士さんなど行政面で力になってくれた方々にも、この場を借りて、深く感謝申し上げたいと思います。

法務局の方々もとても親切に対応してくださいました。担当の方が家に来られたとき（実際に住んでいるのかなどを確認するためだと思われます）、私が大事にしている「レナ」という名のドールを見て、可愛いと褒めてくれたことは、いまでもいい思い出です。当日、自分なりにかなり緊張していましたので。

第1章

韓国と日本の狭間で

帰化後のさまざまな手続き

帰化できて、気持ちだけならさっそくサウスコリア（外国っぽく書いてみます）に行って、親の墓に、家族に、帰化しましたとちゃんと報告してきたいところですが……日本も韓国も、まだ新型コロナ対策としての「水際対策」が完全に解除されていたわけではなく、もうすぐ解除するというニュースは流れていました。そして、なにより、帰化後にもいろいろ手続きがあるので、「じゃ、もう少し待とうかな」、と。実際に行ってきたのは2023年5月で、その際に私が感じたことは本書のメインチャプターでもあります。もう少し後で取り上げます。

帰化してからの手続きは、義務としてやらないといけないのは、在留カードの返納、帰化届けを提出すること、そして韓国国籍喪失申告などです。外国人が日本で長期間滞在するためには、言うまでもなく相応のVISA（就業ビザなど）が必要ですが、日本の場合、「在留資格」というのが必要になります。ビザが日本への入国審査の際に必要なら、在留資格は、出入国港において上陸許可を受けて日本に入国した後に、「日本に滞在して活動できる資格」を証明するものです。

韓国側のネット情報では、在留資格が無くてもビザが取れる場合もある、という話もありますが、「原則的に」、在留資格を取得しないと、日本内での在留はできません。観光などで滞在できるのは1カ月だけで、長期滞在にはまず「職業」がどういうものなのか、日本で何をするのか、迷惑かけずに生活できるのか、そんな側面を事前にはっきりしておく制度です。

また、在留資格以外の活動で収入を得ることは、違反事項となります。在留資格の種類によっては、経済的な側面（予想される収入など）はあまり関係ないものもありますが、一般的には、少なくとも自力で暮らしていける活動が必要になります。私の場合は作家、著述家ということで、「芸術」カテゴリーの在留資格を得ました。ブログでの広告収入などは可能なのかと、事前に行政書士さんを介して入国管理局の方に聞いてみたりしました（作家活動の延長線として可能である、とのことでした）。

私の場合は、日本の行政書士さんにお願いして在留資格・VISAを取得しましたが、これは珍しい事例で、日本で暮らす外国人の多くは、すでに日本内にある会社に就職が決まっている人たちです。彼らの場合は、会社のほうから在留資格を取ってくれます。もし職業を失った場合、別の会社に再就職しないと、在留資格は延長できません。在留資格は、最初は1年単位で更新する必要があります。犯罪は言うまでもなく、交通違反などもすべて審査の対象になります。

そうやって、ある程度は安定して資格を更新できるようになれば、3年間、5年間というふうに、1回の更新で滞在できる期間も長くなります。この制度に不満を言う人たちもいますが、私は、なかなか良い制度だと思っています。この制度を自分で経験し、クリアーしたからこそ、はっきり言い切れます。

在留カードは、運転免許証のようなカードのことで、日本に合法的に滞在している外国人の身分証明として、もっとも一般的です。最近(2023年初夏)にも、旅行費用の一部を自治体や政府が支援する制度がありますが、その支援を得るための「該当自治体居住」などの証明にも、外国人はこの在留カードを持参します。

最近は、私もそうですがマイナンバーカードを持っている外国人も多くなりました。6年間大事にしてきたこの在留カードですが、残念(?)なことに、義務的に返納しなければなりません。郵便でも返納できるので楽ではありますが、できれば額に入れて宝物として飾っておきたい気もしました。何度も更新しているので同じカードではありませんが、6年前、これを受け取ったとき、法務局から少し離れたところにある公園で、大喜びで記念写真を撮ったりしました。良き思い出です。

韓国の「国籍喪失処理が完了」

次は、「国籍喪失申告（韓国の国籍が無くなったと韓国領事館に自分で届け出ること）」です。日本も韓国も二重国籍を認めていない「単一国籍」を原則とします。よって、日本国籍を取得した時点で韓国国籍は無くなりますし、日本のパスポート（パスポートは国籍の証明にもなります）も申請できます。でも、韓国政府、すなわち外交部、法務部（日本で言う外務省、法務省）がこれを把握して、法律的に「その人の韓国籍」を無くすまで、どうしても時間がかかります。

何もしなくても政府が把握すれば前国籍は喪失するので、放っておいても結果は変わりませんが、場合によっては2年以上かかることもあるそうです。その間は、「不本意ながらデータ上では二重国籍」状態になってしまいます。実際、帰化した後にも、法務部公式に国籍喪失が認められる前には、韓国の（私の口座がある）銀行から「こちらの情報だと、お客様はまだ韓国籍になっていますので、それを日本国籍に直すにも相応の確認と証明として国籍喪失関連書類が必要になる場合もあります」と指摘されたこともあります。

このような、不本意で不必要な二重国籍状態を少しでも早く修正するため、本人が国籍喪失を大使館（領事館）に届け出る義務が設けられています。でも、一応義務ではありますが、これといって罰則はありません。さすがに、罰則まで設けるのは無理があったのでしょうか。趣旨からして申告すればすぐできるのかなと思いましたが、領事館の方曰《いわ》く、なんと6カ月はかかる、とのことです。また、何か納得できない理由（怪しい）があれば、追加で書類提出が必要で、その場合はもっと長くなる可能性もある、とも。でも、私の場合はこちらもすごく早く進み、2カ月もかからずに「国籍喪失処理が完了しました」と連絡がありました。

「切なさ」の分析

さて、国籍喪失ですが……そうですね。本書もそうですが、いままで他の本やブログにも同じ趣旨を何度も何度も書きましたが、私はすでに日本に来て住民登録した時点で、日本で生きる、日本人として生きると決めていました。日本に来てさっそく家を購入したのも、自分なりの不退転の決意です。だから、前の国籍を失うのは当然のことです。わかってはいたはずですが。国籍喪失処理が完了しました、と連絡が来た時、ちょっとだけ切ない気持ちになりました。

切ないというか、なんというか……「複雑」、要するに、気にはなるけど自分でも何がなんだかよくわからない、そんな感覚でした。序章にも書きましたが、私は「連続性」というものを大事にしています。私が考えている「帰化して日本人になる」というのは、本書のタイトルでもありますが、韓国人として生まれたけど、日本人として生きるという意味です。

「私」という領域から、韓国人だった部分を完全に切り捨てて（それができる方法もないでしょうけど）、見向きもせず、隠して、嘘をついて、日本人として生きていくという意味ではありません。日本人になったからもう韓国人ではない。でも、韓国人として生まれて、生きて、その人生の「現在」を日本に認められて、帰化できて、日本人になった。私は日本人だ。韓国人ではない。韓国人だった。これから私は日本人として生きる。

韓国人として生きることがそれと衝突するなら、私は何の迷いもなく日本人として生きる道のほうを選ぶ。そういうところですし、「生きる」ということを考えるからには、その始発となる「生まれた」から考えないといけないでしょう。すべてを連続する線上のものだと認めて、認めたくない部分があってもそれも一部として認めて、その上で続けていきます。それが「生きる」でしょう。名前を変えなかったのも、そのためです。率直に言って、日本人の名前ほしい……と思ったこともありますが、それはともかく。

「日本」が私の帰化を認めてくれた時、私は韓国人でした。私が韓国人だったことを否定してしまうと、それはその日本に対しても大きな無礼になってしまうのではないか、そんな気もします。

終わり（喪失）とて、次に繋がるものがあるなら、それは終わりではなく、連続する物語の一部でしかない。切ないとはいえ、それは単なる感傷的なもの。自分で決めたことを続けることに何も支障はありません。しかし、だからこそ、あのときに感じた切なさを無理して否定する必要もないだろうと、いまでも思っています。しかし、自分のことながら未練がましいところがあるな、とは思いました。

韓国では「国籍」を超えて存在する「同胞（ドンポ）」

韓国では、「同胞（ドンポ、同じ民族）」という言葉をよく目にし、耳にします。後述しますが、今回、送金関連の書類で、同胞という字を無数に見ました。

私の場合、すでに日本人になっていたので、「すでに他国籍になった人」用の制度を利用しました。そのためには、私が韓国に住んでいたときの、管轄税務署から許可（書類）を得る必要があります。私が韓国にいたとき、どれぐらいの所得を申告して（日本で言う確定申告のように)、税金をどれぐらい納付したのか、それを調べるためです。そこから、どれだけ所得があって、いまどれぐらいの資産を持っていても不自然ではないのか、そういうものを調べて、○ウォンまで送金を認めるという、税務署長認証付きの「資金出処確認書」という書類です。これが無いと、10万ドル以上の海外送金はできません。

個人的に、関連書類を韓国の税務士(税理士)さんに公証委任状を送って、代行で取得してもらいましたが……でも、その前にもどんな書類が必要なのかいろいろ調べているうちに、「同胞」という言葉が無数に出てきて、強い違和感を覚えました。

もう韓国人ではなくなって、海外に韓国内の資産を持っていくということなのに、なんでこんなに同胞、同胞という言葉が強調されるのか、と。本章では、その際に思ったことを、韓国特有の「民族」という概念と繋げて、持論を綴ってみます。

読者の皆様、「同胞」という言葉を実生活の中で使われたことがありますか。「単語そのものをあまり見ませんね」な方もおられましょう。個人的に、日本に来てから「民族」という言葉を耳にしなくなって、しばらく不思議に思ったりもしました。同胞という言葉は、一度も聞いたことがありません。

それもそのはず、日本側の辞書だと、最初に「同じ腹から生まれた兄弟姉妹、はらから」という意味が出てきて、次に「同じ国で生まれたもの」または「同じ民族」や「同じ国土から生まれし者たち」などの説明が出てきます。韓国では、私が確認できる範囲内だと、どの辞書でも、「同じ民族」という趣旨が真っ先に出てきます。「同じ民族を、多情に（※愛情豊かに）呼ぶこと」などなど。次に「同じ父母から生まれた兄弟姉妹」、が出てきます。ちょっとした優先順位の差、といったところでしょうか。家族より民族が優先だ、と。

そう、いわば、「同じ民族」。それが韓国での同胞（ドンポ）の基本的な意味です。国籍に関係なく、国籍が韓国でも他国でも、一括《ひとくく》りで同胞と言います。

現行法上、「在外同胞」とは、「在外同胞の出入国と法的地位に関する法律」第2条、「在外同胞の出入国と法的地位に関する法律施行令」第3条第1号・第2号及び「韓国国際保健医療財団法」第2条第1号にて、①大韓民国の国民として外国の永住権を取得した者又は永住する目的で外国に居住している者（在外国民）。②出生により大韓民国の国籍を保有していた者（大韓民国政府樹立前に国外に移住した同胞を含む）又はその直系卑属として外国国籍を取得した者（外国国籍同胞）。ここで「卑属」とは、自分より後世代の血族のことです。「在外同胞財団法」第2条にて、①大韓民国国民として外国に長期滞在したり永住権を取得した者。②国籍を問わず、韓民族の血統を持つ者として、外国に居住・生活する者。さて、この最後の②が、韓国社会に一般的に浸透している同胞の意味にもっとも近いと言えるでしょう。これが曲者《くせもの》でして。

先の、辞書に書いてある「愛情豊かに」というのが、どことなく宗教っぽい感じもします。カトリックなど一部の宗教で、同じ神の子（家族）という意味で聖職者を「ファザー（神父）」、「シスター（姉妹）」と呼んだりしますが、そのようなものかもしれません。韓国でいう、この「国籍を問わず、韓民族の血統を持つ者として、外国に居住・生活する者」が、ちょうど宗教のように、非常に強く機能しています。

そう、この同胞という概念は、まるで何かの信仰のように、法律に定められている「国籍」を超えています。もっと上位の範囲、とでも言いましょうか。特に海外に住んでいる人たちに対しては、この単語を積極的に使います。韓国メディアの記事など、韓国側の文に接したことがある方なら、「海外の同胞（ドンポ）たち」などの表現を目にされた方も多いでしょう。別に「海外に住む韓国人をそう呼ぶだけ」なら、単なる呼び方の問題だろうと笑って飛ばせますが、そうではありません。

黒魔術の正体は、「韓民族」という概念

韓国は、「国民」の基準判断の上に、「同胞かどうか」があります。この考え方が、ずい

ぶん前から日本側のネットで「ここが（ここも）変だよ韓国」として指摘されてきた、「外国に国籍が変わっても、その国よりも韓国に有利なことを優先する元韓国人が多すぎる」という疑問の正体です。

私がまだ韓国にいた頃、盧武鉉《ノムヒョン》政権から李明博《イミョンバク》政権の間（２００３年から２０１３年まで）だったと記憶しています。当時も北朝鮮の核・ミサイル問題が大きな話題になっていましたが、米国にいる韓国人（元韓国人含めて）団体が、慰安婦問題など反日思想に関わる案件に力を集中していることで、ブログのコメント欄などには、「あの韓国人団体の人たち全員がスパイかなにかだとは思えません。すでに米国人になった彼らが、いまこの時期に日米の間を引き裂くようなことに専念する理由がよく分かりません」という旨の意見が集まっていました。

それもそのはず、まるで、国籍が変わっても、韓国人としての義務（反日思想）、何かの黒魔術に囚《とら》われているような感じでした。他にも、他の国の人たちに比べて、外国の韓国人はたとえ国籍が変わっても、韓国人、元韓国人だけでコミュニティーを作りたがる特徴がある、とよく聞きます。

この同胞という概念、「韓民族」という概念を、幼かった頃から教えられたこと。それが、この黒魔術の正体だと言えるでしょう。これ「だけ」が正解だと言い切るつもりはありませんが。

韓国の番組でプライバシーを侵害された理由

では、もし海外に住んでいる「同胞」が、韓国人にあるまじき言動をしたなら、どうなるのか。韓国の法律に「韓国人らしいことしないと処罰する」という内容があるわけではありません。併合時代の亡命政府を自称している「臨時政府」、慰安婦関連の裁判例など、一部の反日思想は法律で支えられているものもありますが、そういうもの以外は、ありません。それに、もしそんな「非韓国人処罰法」のようなものがあるとしても、法律で国籍が外国になっていると、「法律的には」韓国人なわけではないので、処罰することはできません。

でも、法律以外のもので「攻撃」が来ます。法律ではなく、全国民的な猛烈なバッシングを受けることになります。自分のことで恐縮ですが、実は私も韓国の地上波放送に「日本人が喜びそうな内容を書いて、大金持ちになった韓国人」とされ、追いかけ回されたことがあります。私が書いた本の内容に関する反論などは一切無く、冗談ではなく本当に「一切」無く、「日本に有利な内容をいろいろ書いたから問題だ」という一方的な展開で、さらには、「これが、シンシアリーがやっていた歯科だ」「この家に暮らしていた」と、カメラが入ったりしました。

私はすでに日本に移住していたので、難を逃れることができました。その番組が突き止めた場所が、本当に私がやっていた歯科や家なのかどうかは、あのときもいまもノーコメントと致します。

番組は、それから私が大事にしている「レナ」という名前のドールの写真（たまにブログに載せました）まで画面に映して、まるで「このドールを連れているのがシンシアリーだ」と言わんばかりの、そんなエンディングでした。誰かが情報提供してくれるのを待っているとか、そんな趣旨でしょうか。番組で直接そう言ったわけではありませんが。当時、個人的に、「内容がひどいのはいつものことだとして、地上波でここまでやったからには、さすがにプライバシーなどで問題が提起されるのでは」と思ったりもしましたが、無駄でした。誰一人問題を指摘することはありませんでした。韓国としては、「とても自然な、当然のこと」だから、それはそうでしょう。

最近特にそうですが、民族とか民族主義とか、そういう単語が帯びているイメージは、決して良いものではありません。民族という概念を「自分の価値を上げるための道具または名分」のように使う人たちがいるからです。いわゆる自民族優越主義というものですが、それもまた、「私は優れている」と思うだけなら、「どうぞお好きに」でいいでしょう。しかし、どうしても「だから他人（異民族）は劣等だ」という主張を持ちだす人が多いから問題です。

韓国人として生まれ育ったという「連続性」

以下、すべて「普通の暮らしの中で」私が思っていることです。民族がどうとかで実際に起きている戦争など、個人レベルでは想像もできない壮大な問題は論外ですので、その点はお間違えがないようにお願いします。

具体的にどこからどこまでを民族主義と言えばいいのか、実はその範囲も結構曖昧です。他人が「どうなのか」を民族単位で判断しようとせず、ただ自分自身が自民族にある種の誇りを持って生きようと意識するなら、そういう生き方を責めることはできないでしょう。というか、責める必要が無いでしょう。

私は、民族という言葉を何かの神様のように崇《あが》めるのもどうかと思いますが、絶対悪のように見下し、何があってもそんな概念を許さないというのもまた、どうかと思っています。私は、「暮らしの中で、人様に迷惑をかけるかかけないか」がもっとも重要だと思っています。先の「自分を肯定的に思うための概念」としての側面なら、暮らしの中で、たとえば社会生活の中でもっと良い生き方をするための努力に繋がるなら、それは結果的に「その社会を共有している、大勢の名も知らぬ人たち」にも良い影響を及ぼすだろうし、それはそれでいいのではないでしょうか。

わかりやすく、ちょっとした信仰の話にしてみます。信仰が「自分自身をもっと肯定的に生きるための概念」として機能するなら、それは実生活の中での言動として現れます。「すべての出来事に感謝しなさい」という聖書の教えをその力にしている人なら、生活の中で多くの「ありがとうございます」を口にすることでしょう。それが、社会に肯定的なエネルギーを与え、大勢の人たちの良き気持ちに影響するでしょう。その人たちが感動してキリスト教徒になるという意味ではありません。別の宗教を信じる人たちでも、その社会に共に生きる人たちの生活に、ほんの少しだけ、良い影響を与えることができます。キリスト教が嫌いだという人でも、このような生き方を「悪いことだ」と責めることはできないでしょう。問題なのは、その逆のパターンです。

一歩間違えれば、「正しい」という言葉ほど怖いものもありません。最近、「正しい」がどうとかとしながら「配慮の強要」を主張する人たちが増えました。映画やゲームなどでも結構増えていて、趣旨はともかく、なんだ、これ……と思うことが増えました。やっている人たちは正義のつもりかもしれませんが、普通に迷惑だな……と思うことも多々あります。「自分で決めたことを自分で貫いて、他人を感動させる」やり方なら賛成です。感動というのは、他人にも広がるという意味ですから。

でも、「自分で決めたことを他人に貫かせて、自分を感動させる」やり方だけはゴメンです。そんなの、ただの迷惑です。韓国社会の民族主義が、ちょうどそんな感じです。強《し》いて言うなら、「民族は私を良くするための信念の一つ」ではなく、「私は民族を良くするための信念の一つ」になっています。「私」が「民族という信念」の一部になっているので、例外は認められません。

韓国人として生まれ育ったという連続性を捨てるつもりはありませんが、こういう「同胞」という考え方だけは、私は受け入れる気などありません。あとで「ウリ（私たち）」に関する部分でも取り上げましたが、私は韓国社会の「混ざって一つになる」共同体の概念より、日本の「絆の共有」の概念が、ずっと好きです。

その際、「切ない」と感じたのは、私もこういう世界観の中で生きていたから、でしょうか。もしそうなら、多少「切ない」と感じてそれ以上何もしないくらいが、ちょうどいいかもしれません。

帰化後の名前

さて、名前のことですが、やはり名前に関してもいろいろとエピソードがありました。帰化した後の名前（氏・名ともに）は、原則として常用漢字表、または戸籍法施行規則に明記されている漢字しか使用できません。私の場合は最初から氏名は漢字ですが、カタカナ表記の場合も同じで、戸籍法施行規則に定められている表記だけが認められます。私の氏名の字が、一つだけ、ちょっとマイナーもので、帰化を申し込んだときに法務局の方が（使用できるのかどうか）わざわざ調べてくれました。なんとか、可能でした。

ちなみに、帰化した後の表記変更は、原則として不可能です。あとで、銀行の口座なども表記をローマ字から漢字に変えましたが、その際も読み方などがはっきりしなくて「あ、たしかにマイナーかも」と思いました。

また、パスポートなど、名前のローマ字表記をどうするのか、というのも問題でした。いままで私が使ってきたローマ字表記が、日本の「ヘボン式ローマ字表記」とは異なる、とのことでして。本当は、ローマ字表記にはこれといってこだわりがなかったので、日本のヘボン式ローマ字に合わせて全部変えてもよかったのですが、行政機関及び金融機関の方々によると、いままで使ってきたローマ字表記をそのまま引き継ぐのがいいかもしれない、とのことでした。

たとえば、ローマ字表記で記入する文書では、すでに帰化前に使っていたローマ字表記がそのまま残っているわけですし、クレジットカードにも既存の表記がそのまま使われていたので、無理して変えようとせず、いままでの表記にするのはどうか、ということでした。不本意ながら手数をおかけしましたが、ローマ字表記は既存のままにしました。

日本語を学ぶ韓国人の疑問：外来語（カタカナ）表記

このヘボン式ローマ字というものが、なんというか、新鮮というか何というか、不思議に思えました。日本語を学ぶ韓国人なら、誰もが一度は思うであろう疑問、それは、「なんでピアノはよくてピエノはダメなのか」です。どういうことかと言いますと、高等学校の「第二外国語」授業で日本語を選ぶと、ほぼ間違いなくテストには「次のカタカナ表記のうち、間違っているものは?」という問題が出てきます。Ｐｉａｎｏは「ピアノ」で、それ以外の表記は間違いということになります。「オリンピック」はスペル的に「オリムピック」と間違えやすいので、テストによく出てきます。

他の国の言葉は詳しく分かりませんが、韓国語は、英語表記を自国語として表記する際、これといった決まり事はありません。詳しくは、あるといえばありますが、あまり守られていません。そこで、Ｐｉａｎｏは英語で、発音もpi-æ-noになっているから、ピアノと読んでもピエノと書いても別にいいじゃないか、なんで「ピアノ」はよくて「ピエノ」はダメなのか、というのです。

「外国語」というより「外来語」のカタカナ標準表記に従いなさい、という意図の問題でしょうけど、韓国人はこういう「英語を自国なりの標準表記化する」ことに慣れていないので、高等学校の選択科目としてちょっとだけ学ぶ立場としては、わからないというか、どういうことか理解ができないわけです。

なぜ、「Ｙｉ」ではなく「ＬＥＥ」が流行したのか

そもそも韓国のローマ字表記というのはかなり曖昧です。というか、韓国語発音はローマ字標準表記には向いていない、という話も耳にします。たとえば、韓国旅行のときに日本の皆さんもよく利用する金浦（キンポ）空港ですが、最近はＧＩＭＰＯとなっていますけど、２００５年まではＫＩＭＰＯでした。理由は簡単で、韓国人が「ギムポ（김포）」

と発音しても、外国人には「キムポ（김포）」に聞こえるから、です。韓国語の表記をそのままローマ字にすると、ＧＩＭＰＯになります。

それもそのはず、「国語のローマ字表記法」がちゃんと機能するようになったのが、２０００年からです。このときから、ローマ字表記を、標準表記としてのルールに合わせて表記することにこだわるようになりました。

当時韓国は、事実上初めてとなるリベラル（左派）政権でした。韓国の左派思想は保守派に比べて民族主義思想が強く、それも表記改正の一つの理由だったという話もありますが、公式にそういう記述があるわけではありません。金浦空港以外にも当時から多くの表記が「標準化」され、釜山もＰＵＳＡＮからＢＵＳＡＮになりました。韓国語表記ならＢＵＳＡＮが正しいですが、それまでずっとＰＵＳＡＮとしていたので、空港や港関連で、混乱が結構あったと聞いています。

パスポートなどの、自分の名前のローマ字表記も、最近は「標準表記」どおりにする人も多くなりましたが、私の世代（40代以上）なら、そこまで標準表記を重視せず、「一般的」な表記、いわば「通用表記」にしました。こだわりがあるのではなく、普通そうするものだろう、と思っていただけです。

たとえば「李」ですが、韓国語読みでは「イ」なので、標準表記のとおりだと「Ｙ・ｉ」

になります。でも、私の世代までは、大して何も考えずLEEにしていました。いまでもローマ字表記について調べてみると、LEEは「通用表記」として認められています。ただ、先の国語のローマ字表記法だと、Yiです。

さて、なぜLEEが流行《はや》っていたのかと言いますと、これも諸説ありですが、大して深刻な理由があるわけではなく、単に英語圏でそう聞こえていたから、そうなっただけだと言われています。他の「説」では、LEEという表記は前から米国で使われていたので、韓国がそれに合わせたという話もあります。

同じ事例として、朴(パク)の英語表記がPARKになったのも、実はすでに存在していた英単語のなかで発音が似ているものをそのまま使ったからだ、という話もあります。昔は、韓国で「李」を「イ」ではなく「ニ」に近く発音していたため、それを外国の人たちが「リ」と間違えて(リと聞こえて)LEEになったという話もあります。

いろいろ諸説ありで正解は分かりませんが、韓国の大統領が朴槿恵《パククネ》氏だった頃、朴大統領に関する外国メディアの英語記事をいくつか翻訳してブログに部分引用したことがありますが、その際に機械翻訳を介すると「朴(Park)」が「駐車」と訳され、「これ何とかならないのか(笑)」と思ったことがあります。諸説ありとはいえ、これも既存の単語に合わせたからこうなったのかな、と一人でちょっと笑ってしまいました。ちなみに、その次の大統領は、文章によっては月（Ｍｏｏｎ）と訳されたりしました。いまの人（Ｙｏｏｎ）は誤訳が少なくて助かります。こういうのも、いままであまり考えたことなかったし、面白いというか、斬新な経験でした。

家族が心配した「日本の差別」

とりあえず、今回、帰化関連で、自分の名前についていろいろと考えるきっかけがありましたが、その中でも特に気になったのが、「差別」という息苦しい言葉です。ちょっと時系列がズレますが、２０２３年5月、いろいろと手続きを終えて、韓国に行って、家族の家を回って帰化の事後報告をしてきました。その際の話です。

家族の中の一人が、「日本は差別が強いだろうに」という話をしました。ただ、その人も、これといって個人的な経験や持論があって、そんな話をしたわけではありません。韓国では、日本は差別が強い国だということになっています。だから、そんな話ばかり聞いていたので、「そういうものだな」と思っていたのでしょう。それを根拠にして、どちらかというと、私を心配する趣旨で話したのです。

とはいえ、その「家族の人」は、出張などで外国、日本にも何度か行ってきた人なのに、平気で差別がどうとかと話したのは、ちょっと意外であり、悲しいことでもありました。こういう、周りから常時、聞かされる話は、本当に恐ろしいほどの教育（？）効果を発揮するものだな、とも思いました。それは、学歴とか、そういうものをも超えてしまうのでしょうか。

私は、できるかぎりソフトな論調で、「そんなことない」という趣旨を話しながら、短く反論しました。本当はちょっとだけ強く、長く話したいところですが、先も書きましたが相手は差別がどうとか日韓関係がどうとかそんなことに真剣に取り組んでいる人でもないし、久しぶりに家族と会って帰化報告する場なのに、熱く語るのは逆効果だと思ったからです。

そこで話したのが、「差別があるなら、まず名前をそのままにはしないでしょう」と、「新型コロナ補助金、ちゃんともらえたよ」です。なぜこの二つなのかというと、わかりやすいからです。韓国の場合、ワクチン接種は外国人でも受けることができましたが、新型コロナ関連の政府支援金（日本でいう給付金10万円）は、「国内の国民（外国人は除外）」が対象で、韓国人と結婚した人に限って支給されました。

本当は、差別とはこういう支援金がどうとかのものではなく、もっと「不当な方向に、もっと根強くルール化されているもの」だと思っています。でも、失礼な書き方ですが、韓国人は「お金」関連の話が通じやすいです。それに、この件は韓国でも大勢のメディアが支給対象を報じていたので、相手としてもわかりやすかったでしょう。ま、相手が金融機関の人、というのもありますが。

韓国に浸透した名前にまつわるオカルト的なデマ

もう一つが、名前です。名前を変えていない、と。差別とかされているなら名前を変えたはずではないのか、と。個人的に、名前を変えるのは、人それぞれの事情によって、合法的に可能なら変えてもいいのではないだろうか、と思っています。だからこの話もまた、差別がどうとかとは違う気もしますが……わざわざこの話をしたのは、韓国では「日本では差別がひどくて、名前を変えざるをえない」ということになっているからです。

いわば、「日本政府は、帰化を強要し、帰化の際に名前を日本式に変えるようにしている」という、とんでもないデマが定説になっています。いつからこんな話があったかは分かりませんが、「大日本帝国は、朝鮮民族の『気概』または『精気』を恐れ、民族ごと抹殺しようとした」というオカルト的な話から来たのではないか、と思われます。

また、この話に「便乗」したのかどうかは分かりませんが、実際に帰化した韓国人の一部が、「様々な圧力があったが、私は、それでも自分の名前を守り抜いた（名前を変えなかった）」と自慢げに話したりします。そういう話が武勇談のように広がり、デマを定着させたのでしょう。

加えて、竹島（韓国で言う独島《ドクト》）は韓国の領土だといつも主張している、韓国に帰化した某日本人学者が、「日本人自ら真実を語ると示すため、名前は日本人の名前のままにした」と話すなど、とにかく帰化した人たちにとって「名前」は、何かの誇示のための道具のような、そんな印象を受けます。ちなみに、帰化歴は、名前を帰化先の国のものに変えてもいくらでも証明できます。

空前の改名ブームの理由は、「運勢」

私の場合は、単に「人それぞれ」だと思っています。自分の場合は、あくまで「連続した自分」を維持したい決心でそうしただけですが、だからといって他の人たちも全員元の名前のままにすべきだとも思っていません。変えて再スタート、という考え方もあるでしょう。

でも、もともと帰化するにおいて、名前は「そのまま」が基本です。先の武勇談もどきがどこから来たのか分かりませんが、名前はそのままが基本で、変えたい人に限って、1回だけ改名が許可されます。また、帰化関連書類には、現在の通名を記入する欄もあり、通名という存在を認めている（良し悪しは別にして）、そういうイメージを受けました。ただ、公的な書類などに通名を使っていた人の場合、帰化して日本名を決めた後は、通名は使えなくなります。

余談ですが、韓国は、改名が多いことで有名な国です。2005年から法律が改名しやすく改正され、実に大勢の人たちが改名しました。一人で複数回改名する人も多く、「外国語で発音しやすくしたい」「嫌いな人（政治家など）と名前が同じ」など、様々な理由で改名が行われています。

その中でも特に多いのが、改名によって運勢を変えたい、という理由です。2021年9月17日の『朝鮮日報』によると、2019年だけで13万3255件（申請ではなく最終的に許可された件数）。2010年から2019年まで名前を変えた人は146万人に及びます。記事が書かれた2021年時点で、「過去10年間、国民100人のうち3人が名前を変えた」、と記事は指摘しています。いくらなんでも、多すぎないか、と。

ちなみに、法律が改正される前の1990年代後半から、改名しようとする人が増え、法律改正を求める声も大きくなりました。1997年、韓国は経済破綻し、IMF（国際通貨基金）に経済主権を譲渡しました。

韓国社会の名前関連不思議事情を2022年1月29日の『朝鮮日報』からちょっとだけ引用してみますと、「最近では若い層を中心に、進学や就職、結婚などがうまくいかないとして、未来（運勢）を変えるために改名する人が増えている」「一部では、まるでオンラインIDを変えるように、名前を変えてから1年もたたずにまた改名を申請したり、3回、4回と続けて改名を申請したりするケースもある」、などなどと、不思議な話が書いてあります。

名前のせいでよからぬことが起きている

未来のためといえば聞こえはいいですが、結局は、シャーマニズムな手段で簡単に運命を変えたいと願っているわけです。朴槿恵大統領の弾劾《だんがい》のときは言うまでもなく、最近の尹錫悦《ユンソンニョル》大統領にも似たような噂が付きまとっていますが、政治家などがシャーマニズムのような何か（韓国では巫俗《ムソク》と言います）に頼ろうとすると、社会的に大騒ぎになります。「そんなものに頼ってどうする！　もっと現実を見て自分の力で頑張るべきだ！」と。

でも、所詮《しょせん》はその国民も、まず運勢にかけて、自分の名前を変えているわけです。不思議ですね。仮にも儒教国家ということになっているし、儒教では名前は親からいただいた自分のアイデンティティーのはずですが。結局は、「名前」を自分の一部だと思ってないのかもしれません。名前のせいで良からぬことが起きているなら、そんなものは私の一部ではない。そう思っているのではないでしょうか。

そういえば、韓国は最近、合計出生率が0・78人まで下がって（同時期、日本が1・3人）大きな社会問題になっていますが、人が結婚しない、子を産まない理由の一つに、「私がもっと完璧な親にならないと、子が私と同じ思いをする」という考えがある、との分析もあります。

韓国では、以前から自分の社会的・経済的地位の低さを「親のせい」にする風潮が強く、それが、若い世代の精神世界に「私なら、もっと立派な親になれる」という考えを育てました。でも、いざ社会人になってみると、そううまく行きません。だから、自分がもっと素晴らしい親になれるまで、結婚しない、子を作らない、というのです。

でも、いつになっても、自分が望む「完璧な親」の姿にはなれず、結婚そのものの時期を完全に逃してしまう、と。ソウル大学保健大学院人口学教授チョ・ヨンテ教授は、これを「完璧な親シンドローム」と呼んでいます。なんだか、似ているような気もします。名前をいくら変えても、自分自身が望む姿にはなれないでしょう。

もう一つ、いまの韓国の氏名そのものが、国家レベルで行われた「セルフ創氏改名」の結果だという主張もあります。本書は、できるかぎり新聞記事などの部分引用はしないことにしていますが、この部分は、韓国の代表的保守メディア「ペン アンド マイク」のキム・ヨンサム専門記者の記事（2021年11月8日）からの部分引用となります。

〈……筆者は、韓国人の反日感情と中国に向けた事大「慕華（※中国を心から愛するという意味）」思想は、共同運命体だと思っている。ずっと前から中国に「降伏」していた朝鮮半島の人たちは、中華文明こそ、至高の価値だと信じ、自分たちを中国人の末裔《まつえい》だと固く信じていた。朝鮮は、中華を種族や国家より優先し、その中華の世界に一家として参加するために、中国「周」国の武王から、朝鮮半島の王として冊封《さくほう》（中国皇帝から、王になってもいいという許可を得ること）されたという「箕子《きし》（※韓国語読みギザ）」を始祖とし、誰もがギザの子孫であることを自慢してきた。問題は、その箕子という人物が実際に朝鮮半島に移住してきて、いわゆる「箕子朝鮮」を建てたのかどうか、明快に立証できる根拠や資料は存在しない点だ。

それにもかかわらず、「清州《チョンジュ》の「韓《ハン》」氏」をはじめ、数多くの家門の人たちは、箕子と、彼に従った修行員たちを、「私のご先祖様です」と固く信じ、彼らの名前を自分の族譜

（※家系図）に記録した。自分たちの始祖が中国から来たと主張しなければ、社会的に礼遇を受けることができなかったからだ。まさしく、「中華という沼にハマった国」だったからこそ、可能なことだった。このような風潮が蔓延《まんえん》し、朝鮮半島の人たちは、自分たちの祖先が中国から渡ってきた到来人だと系譜を捏造《ねつぞう》し、競争的に、氏名を中華方式に「創氏改名」した……その結果、名前だけを見ると、中国の人なのか、朝鮮半島の人なのか区別できない世の中になってしまった……〉

朝鮮半島の名前を差別してきたのは、そこに住む人たち

この分析がどれだけ信用できるかは、もっと関連した研究に触れてみないと分かりませんが、韓国ではこうした「優秀な民族」に反する主張はタブー視されており、追加資料はなかなか見つからないのが現状です。たぶん、これからもないでしょう。

ただ、韓国で言う「三国時代（朝鮮半島が新羅《シンラ》、百済《ベクチェ》、高句麗《コクリョ》を主要国としていた時代で、一般的に百済が滅んだ660年まで）」あたりの人名を見てみると、いまとはかなり違和感があります。

たとえば、新羅の有名な武将とされる金異斯夫《キミサブ》（※一説では朴異斯夫［パキサブ］）は、

表記的にも発音的にも現在の韓国式人名には違和感があって、氏がキム（一説ではパク）で名がイサブなのに、いまの人名システムと間違えて、「イ・サブ（李斯夫）」だと勘違いしている人も大勢います。

韓国でもっとも有名な反日ソング、『独島は私たちの土地（ドクトヌンウリタン）』の歌詞にもその名前が出てきますが、「イサブ」とだけなっていて、正確には違います。三国史記の記録通りなら、キミサブと書くべきでしょう。たぶん、歌詞を書いた人もイサブが氏名のすべてだと思っていたのかもしれません。

このように、名が三つの漢字でできている場合が多く、他に、氏が二つの漢字でできていたり、使う字や発音などにおいても、いまとは大きな差があります。朝鮮時代の人名は、現在見てもあまり違和感が無いので、朝鮮半島の人名システムに、三国時代と朝鮮時代の間に、大きな変化があったのは間違いないと思われます。

こうして考えると、名前だろうと連続性だろうと、昔もいまも、いろいろと「不安定」さが目立つ、韓国社会。必要以上に他国の文化（特に日本のもの）を「実は韓国起源」と主張したり、考古学的に無理のある5000年の歴史、1万年の歴史を主張しているのも、実は連続性において自信が無いから、かもしれません。

どうであれ、この不安定さは、このように、様々な形で社会に現れています。名前とて、変えたければ変えればいいし、変えたくないなら変えなければいいだけでしょうけど、こんな国柄でよくも「名前」を「差別」に関連付けて話せるものだな、と呆れてしまいます。朝鮮半島の名前をもっとも差別してきたのは、朝鮮半島に住む人たちではなかったのか、とも。

私が私の名前を受け継げたのは日本のおかげ

書いていたら熱くなって長くなりましたが、韓国社会は、とにかく連続性というものが、「セルフ差別」を受けています。街にある飲食店が長く続くと、「なぜそればかり続けるのか」「もっと豊かになって親を休ませる有能な子は生まれなかったのか」と思われたりします。有能な子が生まれたら、そんな店はやめてもっとスゴイことをやっているはずだから、です。

いま40代以上の人なら、おそらく、一度は耳にしたことがあるでしょう。「一生、その仕事だけやってろ（평생 그 일이나 해라）」という慣用表現。これは、相手を無能なやつだと罵《ののし》る表現です。もちろん、医師や弁護士など、収入が高そうな職業の人にはこんなことは言いません。

2000年代になってから、リストラなどが流行り、定年が早くなって（45歳に定年退職する人も少なくありません）、「一生、同じ仕事をやってろ」という慣用表現が消えていった（相手を罵る意味が弱くなった）という、笑えるけど笑えない分析もあります。

名前を簡単に変えて、「気に入らない自分は無かったことにしたい」と思うのは、それ以上の大事なものを知らないからではないでしょうか。最近になって、名前関連でいろいろあったので、なおさらそう思わずにはいられません。

私が保守的すぎるだけかもしれませんし、なにより、私が私の名前を受け継げたのは、差別なき社会で私を受け入れてくれた「日本」あってこそのものでしょう。感謝の言葉しかありません。

帰化を証明するもっとも公的な書類

そんなこんなで、ひとり暮らしなので1日に作業できる分は限られていましたが、帰化後の手続きはスムーズに進みました。ブログ更新をサボる日が増えた以外は。行政機関に帰化届けを出して、戸籍謄本をちゃんとしておくことも義務です。義務というのももちろんありますが、いま思えば、この手続きをしっかりしておいたおかげで、他の手続きはもちろん、韓国からの資産を搬出（日本へ送金）することなどが、楽にできました。

本籍は、帰化の際に自分で記入した本籍となり（私は普通に、いま住んでいるところを選びました）、帰化の記録、帰化の際の国籍（日本に帰化する前の国籍）なども、戸籍謄本からすべて確認できます。国によっては帰化を証明するための書類が別に存在する国もあると聞きますし、韓国の場合も（他国から韓国に帰化した人のために）国籍取得事実証明書という書類があります。

でも、日本の場合、東京法務部のホームページなどによると、「帰化を証明するもっとも公的な書面」は、戸籍謄本になります。帰化証明書類などはこれといって無い、とも。東京の韓国領事館に国籍喪失届けをした（領事館から外交部、法務部に渡って、あとで法務部から連絡が来ます）ときも、「もしこれから領事館に来る用事があるなら、必ず戸籍謄本を持参してください」と言われました。

普通の暮らしの中では、パスポート、マイナンバーカード、そして運転免許証（帰化による国籍変更の場合、免許証の表記が変わるのは次の免許証更新からですが、中身のデータは国籍変更を申し込んだ時点で更新されます）でも国籍の証明は簡単にできます。そういえば、パスポートが5年ものと10年もので色が異なると、いままで気がつきませんでした。黒と赤の二種類あるのは知っていましたが。

それ以外にも、自分のためにも、まわりに迷惑かけないためにも、「やっておいたほうがいい」手続きはいろいろあります。マイナンバーカードや運転免許証の情報（国籍）変更、（日本の）銀行口座など金融機関関連の情報変更、クレジットカード関連、などなどです。もちろん、私の場合はパスポートも申請しました。それらの手続き……数は多いものの一人でも十分にできる範囲のものですし、関連機関の方々も親切にいろいろアドバイスしてくださって、忙しくても新鮮な経験の連続でした。これについては、あとで「韓国、無愛想さの正体（？）」関連でもう少し書いてみます。

韓国に残してきた銀行預金を日本へ送金

そして、もう一つ重要な手続きは、韓国に残してきた銀行預金を、「在外同胞資産海外搬出」制度にもとづき、日本へ送金することでした。韓国から海外にお金を10万ドル以上送金するには、一般的には二つの方法があります。一つは、「国籍は法律的に韓国人で、2年以上外国に住んでいて、韓国内で経済活動をしていない人」の場合で、もう一つは、「国籍が変わった人」の場合です。

用意する書類などは似ていても、韓国の中央銀行である韓国銀行を介するのか、しないのかなど、制度的に異なります。前者は「対外支給手段売買」といい、後者は「在外同胞の海外財産搬出」制度となっています。先も民族関連で「同胞」という言葉が出てきましたが、この手の書類にも同胞という言葉は無数に出てきます。とりあえず、名称はともかくいくつかの書類が必要なのは言うまでもありません。

特に、もっとも重要な、税務署長認証付きの「資金出処確認書」(問題ない資金だと確認を得ること)は、申請してから発給されるまで普通2週間はかかるので、私が一人でなんとかすることはできず、韓国内の税務士さんに代行取得をお願いし、国際郵便で受け取りました。それだけでなく、韓国側の銀行にも事前に連絡して、送金に必要な韓国側の書類、日本側の書類を予《あらかじ》め確認し、そしてそれらを用意するまで、結構時間がかかりました。

第2章

新日本人による韓国旅行記

日本人として韓国に「帰省」

そして、いよいよ、韓国に行ってくることになりました。5月、ブログで「日本人になりました」と読者の皆様に報告し、1週間更新を休んで、韓国に行ってきました。2023年、久しぶりに大勢の観光客で日本中が盛り上がったGW（ゴールデン・ウィーク）が終わった直後のことです。大勢の方々から、「おめでとうございます」という言葉をいただいて、申し訳なさとともに、シンシアリーという存在として生きてよかったと改めて思ったこと、これは一生忘れることはないでしょう。

日本で暮らすようになってからも、親の墓参りもあるし1年に1回は韓国に行ってきましたが、日本も韓国も新型コロナによる入国制限などがあり、それに、万が一にも感染する可能性などを考えて、先も書きましたが帰化後にも手続きや書類の用意で時間がかかり、なんだかんだで、4年ぶりの韓国行きとなります。

今回の韓国旅行の目的は、まず、親の墓参り、および家族への事後報告です。そして、平日中に、銀行関連の仕事をやっておく必要がありました。銀行関連の仕事がもっとも心配でしたが、この「家族と会う」のもなかなかの難題でして。

別に仲が悪いわけでもないのに、なぜか私の家族、朝鮮半島各地に散らばって暮らしています。一カ所に集まるのがなかなか大変です。親が生きていた頃はそれでも一年に二～三回はなんとか会同することができましたが、最近はほとんど電話かメールだけです。なぜこんなに広範囲に頒布《はんぷ》（笑）しているのかと聞いてみても、「なんとなく」「つい」のような返事しか聞けません。今回の私のように、直系家族だけ全員回るとしても、5日丸ごと使ってもギリギリです。

ということで、ここからは、4年ぶりに訪れた韓国で私が感じたことを、いくつか綴りたいと思います。そういえば、「韓国人による日韓比較論」というシリーズを、おかげさまで好評のうちに書き続けております。もう「韓国人による」は使えなくなりましたが、それもまた良き。そのシリーズ最初の本のタイトルが、『なぜ、日本のご飯は美味しいのか』（扶桑社）で、食べ物の話をいろいろと書きました。いま思えば、いろいろある日韓の比較において、私は食べ物からものすごい影響を受けていたのでしょう。今回の韓国旅行でも、いろいろ日韓の差を感じましたので、紹介したいと思います。

コロナ後の日韓観光客比較

そういえば、私はあえてGW期間は避けることにしましたが、今回のGWは、久しぶりに各地が活気に溢《あふ》れ、外国人観光客もピーク時の6割まで回復したと聞きます。本当に、嬉《うれ》しいかぎりです。普通にテレビで見られる番組はもちろん、ユーチューブなど動画サイトには各地域のローカル放送局・新聞社がアップロードした動画もかなりの数が上がっていて、それらをチェックしながら、旅行好きの一人として何度もよかった、よかったと思いました。今回、GWのあとでしたが、それでも羽田空港と金浦《キンポ》空港も活気に溢れていて、とても良い気持ちでした。

韓国でも海外旅行、特に日本旅行が再びブームになり、大勢の観光客が日本を訪れました。実際、今回羽田空港にも、多くの外国人観光客がいて、中には韓国語も聞こえてきました。韓国は日本に比べて、リピーター（何度も訪れる観光客）が少ないと言われています。また、外国人観光客がソウルに集中しており、まだ新型コロナ前の影響が本格化する前の2017年のデータでは、訪韓外国人観光客の78%がソウルを、20%が済州島《チェジュド》を訪れており、地方都市にはほとんど訪れません。

2018年1月『毎日経済』紙はこのことで、安いという理由で買い物に訪れる客が多く、彼らがソウルを訪れているのが大きな理由だ、と分析しています。でも、買い物なら他の国でもできるし、ここでいう買い物というのは服など量産品が多いので、これでは韓国政府が表向きに強調している「文化・歴史」などとは趣旨が大いに異なるため、リピーターも増えないと指摘しています。

日本の場合は各地に外国人観光客が増えており、ベンチマークすべきではないのか、と。2017年、日本は外国人観光客の数が2800万人を超え、日本より早い時期に観光大国化を目指し、一時は外国人観光客の数で日本を超えたこともある韓国は1330万人になっていました。

2023年、新型コロナ関連措置がほぼ解除され、韓国も通貨安が結構すごかったですが、それでも外国人観光客および観光事業の回復は、日本より遅いと言われています。理由は同じで、そこまで「旅行再開を待ち望んでいた」人が少なかったから、でしょう。逆に、韓国人の海外旅行、特に日本旅行だけは急速な回復を見せました。

ここで、日本の観光局や国土交通省などからいろいろとデータを集めてみますと、2023年1月から4月まで日本を訪問した外国人は約674万人でしたが、そのうち韓国人が206万人でした。ここからは1月~3月までのデータになりますが、日本を訪問した外国人の一人あたり平均旅行消費金額は23万５０００円、訪日韓国人の場合一人あたり消費金額は約12万５０００円で、そう高いとは言えませんでした。

1月～3月に韓国を訪問した日本人観光客は35万３０００人で、訪韓外国人の約20％。たしかに多い数ではありますが、一時、日本のテレビニュースで「韓国旅行が待ち遠しくて大使館の前で徹夜する人が後を絶たない」と騒がれていたことを考えると、それほどでもない結果になりました。

訪韓日本人が韓国で消費した金額は、最新のデータが見当たりませんが、２０２３年5月18日『毎経エコノミー』の記事によると、２０２１年基準で一人あたり４３８５ドルでした。当時の為替レートで約50万円、いまの為替レートで約59万円になります。

韓国のボッタクリ価格と日本のビジネスホテル

さて、このように、日本を訪れる韓国人観光客たちの「財布」は、思ったより紐の性能が高い、または中身が無い、のどちらかです。しかし、この点、一つ疑問があります。つい この前、『韓国の借金経済』（扶桑社新書）という本を書いたばかりですが、韓国は、青年から高齢者まで、まさに借金大国です。

自営業者債務を除いても（韓国では別カテゴリーになっています）、家計債務がGDP（国内総生産）を超えるのは、IIF（国際金融協会）基準では韓国だけで、102％です。これは、1997年に経済破綻してIMF（国際通貨基金）管理下に置かれたあと、経済復興のため、不動産投資の促進、クレジットカード普及など、家計が債務を負う形の政策を進めたからです。それからマンションを買う以外に社会的成功は難しいとする風潮が増え、今でも家計債務がとんでもない規模になり、返済が難しい「脆弱借主」もどんどん増えつつあります。最近では、若い人たちを含め、家計債務の返済負担も増え、いろいろ大変です。

にもかかわらず、なぜこんなに海外旅行、特に日本旅行が人気なのか。もちろん、韓国人全員が日本旅行するわけではありませんが、それでも多すぎないか、という疑問です。それに、子供の頃から当たり前のように反日思想に接しながら育った人たちが、なぜここまで日本に来るのでしょうか。どのような分析があるにせよ、「日本で素晴らしい体験ができる」ことこそが、日本旅行人気のもっとも大きな理由でしょう。

まだ韓国にいたとき、「日本に行ってきて、大したことなかったとか適当に不満を言って、翌年にはまた日本に行く」、不思議な行動パターンを見せる人を、何人も見ました。どうしようもない日本の優秀さと、認めてはならないという思想的な何かが、衝突しているのでしょうか。

次に、韓国内にこれといった旅行地が無く、あるとしてもコストパフォーマンスが悪い、ボッタクリが多い、交通や宿泊施設といったインフラもパッとしないこと。これは韓国側のネット掲示板などで特によく目にする内容でもあります。これもまた、大きな原因でありましょう。「それなら、近くて（その気になれば日帰りもできる）見るものも食べるものも多い日本に行ってくる！」、と。

ちなみに、韓国内の観光において、もっとも不満が多いのはボッタクリ価格で、食べ物関連もそうですが、宿泊関連でも目立ちます。この点、私は、日本各地にあるコスパ抜群のビジネスホテルは、日本の観光を支える重要インフラとしてもっと高く評価されるべきだと思っています。

日本旅行が韓国で「ブランド化」

ただ、もうちょっとヒネクレた見方をしますと、日本旅行が、韓国である種の「ブランド化」しているからです。新型コロナ禍になる前、ブログで、韓国では海外旅行が流行っていて、特に日本旅行が大人気だという話をしながら、そこには他の国とは異なる側面もある、と書いたことがあります。もちろんケースバイケースで、本当に好きで海外旅行を選ぶ人もいるでしょう。国内旅行にがっかりした人が多いだけかもしれません。しかし、海外旅行に「行きたい」ではなく、「行かなければならない」という側面が強いのも、また事実です。

「あなたは、～も持ってないのか？」という言葉を極端に嫌がる韓国人。日本旅行もまた、その「～」の一つになっています。韓国では、ブランド品を所有していなくても、所有しているということにしたくて、ブランド品の空のボックスを数万円も出して買う人たちが多く、一部のメディアから社会問題として指摘されています。海外旅行、特に日本旅行というのが、人の社会的価値を決める数々の要素、まるで「ブランド品を飾る人は偉い」というような、そんな要素になっていると書けばいいでしょうか。

学校に皆勤する子は、海外旅行に行く「力」がない家柄

韓国では年収などの基準で人に階級を付ける「金のスプーン」とか「土のスプーン」などが有名ですが、バリエーション（結構な種類が出ています）にもよるものの、年収や資産だけでなく、「1年に海外旅行○回」という項目もあったりします。大人の問題、青年

の問題だけではありません。子供の世界でも、まったく同じ問題が起こっています。

２０２３年になってからブログで紹介した記事の中でも特に記憶に残っている、4月15日の『朝鮮日報』の記事ですが、そこには「皆勤乞食（ゲグンゴジ）」という言葉が出てきます。ここでいう皆勤とは、学校を欠席しないという意味です。皆勤賞というものが、多くの学校から消えたという話も聞きますが、私の世代にとって皆勤賞はとても意味のあるもの、とても素晴らしいものでした。賞が消えてもその考え方はまだまだ残っているはずなのに、なぜ皆勤した子が物乞いになるのか。

それは、海外旅行に行くには、平日に休むことになるからです。外国といっても一泊二日で余裕の国もありますが、さすがに子連れの家族旅行になると、週末だけで行ってくることは難しいのでしょう。しかも、海外旅行の場合「体験学習」として事前に学校側に言っておけば、出席日数に関する問題も無い、とのこと。よって、皆勤する子は、海外旅行に行く「力」がない家柄だ、だから物乞いだ、そういうことになっている、というのです。

記事によると、この言葉が流行るようになったのは、２０１９年頃、小学生の子供を持つ母親が主に集まるネットコミュニティー、いわゆる「マムカフェ」です。自分の子が、学校に熱心に通っただけなのに、「皆勤乞食」とされてしまって、海外旅行に行けない貧しい子として扱われている、そんな内容でした。

新型コロナの期間中はさすがに海外旅行が制限されたこともあって、この妙な言葉も話題になりませんでしたが、韓国でも水際対策が緩和・部分解除され、海外旅行が増えて、またまた小学生の子供を持つお母さんたちを苦しめている、と。

記事に書いてある事例には、子供が学校から帰ってきて「海外旅行できず学校に皆勤している子はクラスにぼくしかいない」と泣き叫んだ……とのことです。その子曰く、「なぜ海外旅行しないで毎日学校来るの？　おまえ物乞いなの？」とクラスメイトから直接言われた、とのことでして。

それはもう、お母さんからすると胸が苦しい話でしょう。「最近、子供たちは一生懸命学校に通うのは恥ずかしいことだと話している」「無理をしてでも年に1、2回程度は海外旅行に行くことにしなければならない」、などなど。

「貧しい」とされたら、終わりです。住んでいる家の広さなどで、クラスメイトを「階級」で呼ぶという話は、1990年代からありました。私もまた、着ている服の価格（ネットから価格は検索できますから）が、そのままクラスで子供の「地位」「階級」を決めるというニュースは何度も見聞きしましたし、まだ旧ブログ（アメブロ）のときですが、ブログで紹介したこともあります。

専門家たちの共通する見解は、「大人のまねをしているという側面が強い」。たしかに、それはその通りではないでしょうか。また、新型コロナから回復して海外旅行に行く人たちを「羨《うらや》ましい」「まだ苦しいのは私だけか」と思った挙げ句、自殺してしまう人も多く、ただでさえOECD（経済協力開発機構）自殺率（10万人あたり自殺者数）1位なのに、2023年2月、3月は前年同期比で10％以上も亡くなった方が増えた、というニュースも出ています。いろいろ、書いていいて頭が痛くなります。

駅の自販機で感じた韓国の物価高

さて、それはともかく、いつのまにか国際線が「第3ターミナル」と呼ばれるようになった羽田空港から、順調に金浦空港に着陸。4年ぶりの韓国です。ここから、今回の韓国旅行で感じたことになりますが、食べ物関連の話が圧倒的にメインです。ということで食べ物（外食）と関連していることもあるし、まずは物価の話からはじめたいと思います。

日本も物価上昇がよく話題になりますが、日本と韓国の消費者物価上昇率を比べてみると、2022年1年間で日本は約3・0％、韓国は約5・1％でした。完全に同じ基準での比較ではないものの、米国の場合は約8～9％だったとのことで、日本も韓国も欧米に比べるとまだまだずっと低いとも言えるでしょう。しかし、実際にお金を使う消費者の立場としては、実に嫌な話です。

しかも韓国の場合は、家計債務を考えないといけません。基準金利を1・00%から3・25%（2022年11月）に上げているため、家計債務の返済額が増えています。本書では深掘りしませんが、韓国は家計債務（企業債務、自営業者債務は除外）がGDPより大きい、すなわち100%を超える数少ない国で、金利が上がると各世帯の元利金返済負担が大きくなり、他国に比べても、特に生活を圧迫することになります。ちなみに、日本など他の国の場合は、大まかにGDPの6割程度です。よって、実際の消費者物価上昇率より、体感する分は韓国のほうがもっと大きいのではないか、私見ですが、そう思っています。

そうした情報を以前から知っていたので、物価がどれぐらいになっているのだろう……とちょっと気にしていました。でも、物価もそうですが、その社会の本当の姿は、「暮らしてみないと分からない」というのが私の持論です。私の場合、韓国で何か買い物をしたわけではなく、金浦空港についてから基本的に店で食べてから移動、家族の家で食べて、そのまま寝て（日程のこともあるので寝ないでそのまま次の家族の家に向かって、道中でホテルで寝て、次の日の朝に動く日もありましたが）また移動するだけだったので、いざ韓国に来ても、物価が上がったという実感はそうありませんでした。

交通関連だと、韓国のほうがまだまだ日本より安いですから。はじめて物価関連で「あれ?」と思ったのは、駅の自販機でした。先に書いた「ホテルで寝る」ことになった日のことです。

「南北」に移動しやすく、「東西」に動きづらい理由

韓国は、地理・地形的な理由（朝鮮半島の東側は山脈が走っていて、昔から道路を作るのが得意ではありませんでした）ももちろんありますが、道路・鉄道などインフラが、大まかに「南北（詳しくはソウル〜釜山《プサン》」方向へ動きやすく、「東西」へ動きづらく出来ています。これは、高度経済成長期に、首都であるソウル、韓国最大の港である釜山を繋げることを第一に考えていたからです。併合時代から続く朝鮮半島インフラ発展の基本パターンです。

1960年代、韓国の絶対権力者だった朴正熙《パクチョンヒ》大統領は、日本と基本条約を締結し、その際に日本から受け取った経済協力金など、そのほとんどを経済発展に使いました。そのとき、浦項《ポハン》というところにある浦項製鉄（現POSCO）に特に大きな資金が投入されました。他にも大邱《テグ》市など慶尚北道《キョンサンブクド》地域の発展が著しく、これがいまだ慶尚北道で保守派支持（朴正熙氏は保守派です）が強い一つの理由でもあります。

それからも高速道路や国道、そして鉄道などのインフラが、ソウルと慶尚北道を繋げる形で作られたわけですが、相対的に、東西、すなわち朝鮮半島、韓国を横切るように動くためのインフラは、開発が遅れました。一時よりはずいぶんマシになりましたが、それでもまだまだです。

慶尚道地域とは逆に、高度経済成長期に特に疎外された地域が全羅道《チョンラド》地域で、政府への怒りが強く、保守支持が弱いことで有名でした。この地域を政治基盤にして、金大中《キムデジュン》氏など、リベラル派（左派）政治家が成長することになり、後に盧武鉉《ノムヒョン》、文在寅《ムンジェイン》政権など、いわゆる左派政権のスタート地点になります。

１９８０年には同地域で光州《クァンジュ》民主化運動と呼ばれる、保守派大統領全斗煥《チョンドゥファン》氏率いる軍により流血鎮圧が発生したこともあり、保守派政治家に対する恨みが半端ありません。いまでもリベラル派（左派）支持がもっとも強い地域となっています。

先も三国時代の話をしましたが、朝鮮半島には昔、日本ではシラギと言う新羅《シンラ》と、クダラと言う百済《ペクチェ》という国などがありましたが、両国は仲が悪いことでも有名でした。結果、百済は新羅に滅ぼされました。それから朝鮮半島が統一され、また分裂し、あとになって「高麗《コリョ》」という国が再び朝鮮半島統一を成し遂げます。

しかし、それからも、高麗の王が「百済地域の人たちは高位職に登用してはならない」

という遺書を残すなど、百済地域は、朝鮮半島の歴史において、なんというか、特に強い「恨み」を持つ地域です。完全に一致するわけではありませんが、その百済地域が、いまの全羅道地域です。何かの呪いでもあるのでしょうか。

２１０㎖缶のペプシコーラが一千ウォン（約１００円）

またもや話がズレましたが……私の場合、全羅道までは行きませんでしたが、韓国のほぼ中央地域となる忠清道《チュンチョンド》から、慶尚道へ向かうことになりました。ですが、これがまた、朝鮮半島を半分ぐらい「横切る」形になりますので、高速バスも便数が少なく、あったのも新型コロナのときに廃止となってそのまま。ＫＴＸ（韓国の高速鉄道）はおろか特急も無く、在来線の列車を乗り換えて行くしかありませんでした。直通便さえあれば二時間半でいける距離なのに、列車乗り換えて五時間半、待ち時間入れて六時間。まだまだインフラが改善されてないと実感しながら、仕方なく列車に乗りました。

途中の駅で乗り換えを待っている間、喉が渇いて自販機で何か飲もうとしましたが、そこで初めて「あ、高っ」と思いました。日本ではあまり見ることがない、２１０㎖缶のペプシコーラ。これが何と一千ウォン（約１００円）。これより大きなものが日本の自販機では130円で買えるし、駅からすこし離れたところだと、100円で買える自販機も珍しくありません。いくら駅にあるものとはいえ、ちょっと高いな……と思いました。それから、何か食べるときに値段を注意深く見てみましたが、たしかに高くなりました。

今年2023年、新型コロナ関連の水際対策措置が緩和され、韓国に旅行に行ってきた方なら体感的にも「物価高くなったな」と思われたことでしょう。私も書きたいことはいろいろありますが、物価関連だと長くなるし、繰り返しになりますが私が韓国で「生活」と呼べる行為、たとえばスーパーで何か買い物をしたとかそんなことをしたわけではないので、本書では、主に食べ物の話を取り上げたいと思います。韓国は自営業（飲食店など）が多いので、ある程度の推測くらいはできるでしょう。

マンションと飲食店の看板しか見えない景観

韓国の街の景観の特徴に、「マンションと飲食店が多い」のは外すことはできないでしょう。特に、比較的新しく開発された「新都市」とされるところを見てみると、冗談抜きでマンションと飲食店の看板しか見えません。飲食店だけでなく、前から、韓国は自営業者が多い国です。日本より多いのはもちろん、一般的に自営業者が多いとされるイギリスよりも多いです。いまはずいぶん減少したものの、それでも650万人と言われています。

日本の場合は、約200万人です。ちなみに、日本は世界的に見てもサラリーマン（会社員）が多い国です。韓国の経済活動参加人口が約2800万人とされていますので、650万人となると、相当な数です。そして、その約4分の1が、「飲食・宿泊」カテゴリーだとされています。

高度経済成長期には、何も考えずソウルに来た人たちが自営業をやるしかなく、自営業者が大幅に増えました。それがある程度減少するようになったものの、1997年の「IMF入り」でまた増えるようになりました。それからまた減少するようになりましたが、年金システムも機能しない状態でベビーブーム世代が引退し、いわゆる「第2の人生」のために自営業をやりました。この自営業ブーム、いわゆる「創業ブーム」で、また増えました。

先の景観というものにもっとも影響したのが、この創業ブームではないでしょうか。コーヒー店、チキン屋、モーテルが多いのも、この創業ブームが主な原因です。ちなみに、韓国ではラブホテルのような役割の「モーテル」も多いです。それはもう、住宅街や学校近くまで。

そして、新型コロナ期間中、さらに増えました。2020年に551万7000人だった自営業者（総合所得税申告者のうち事業所得を申告した人）数は、2021年には656万8000人まで一気に増加。なぜそんな時期に創業をしたのか、と不思議ですが……理由はいろいろあるでしょうけど、低金利を狙ってのもの、すなわち創業資金が借りやすくなったからだと思われます。ただ、ちゃんとしたノウハウも無しにやっていける時代ではないので、なぜか、数が増え、すぐに閉店となり、債務ばかり増えていく、そんなところです。

彼ら自営業者の2021年の平均所得は、年1952万ウォン（1円を10ウォンとすると約196万円）でした。年2000万ウォンより下がったのは初めてのことだ、とのことです。韓国の場合、自営業者の債務は家計債務にはカウントしませんが、約1000兆ウォンだとされています。ローン元利金償還猶予など新型コロナ関連特例措置は、2023年9月で終了予定です（本当は2022年9月まででしたが、1年延長されました）。この650万人、どうなるのでしょうか。どれぐらい、維持できるのでしょうか。

ちなみに、これもまた両国の基準が同じなのかは分かりませんし、その場でネット検索してみただけですが、日本の場合は自営業者の平均年収は384万円だそうです。

第3章

「キムバップ（海苔巻き）」と併合時代

韓国で「巻物」と「麺」が安物扱いされる理由

食べ物の中でも特に取り上げたいものが、「ジャンチグクス（韓国の素麺《そうめん》料理）」と、「キムバップ（キムバプ、海苔《のり》巻き）」です。あと、「グック（韓国のスープ料理）」関連も。特に物価の場合、ジャンチグクスとキムバップの存在は、かなり重要です。これらの価格が上がるというのは、他はもうどうしようもなく上がるしかないからです。

どういうことなのかといいますと、韓国で「食事」のカテゴリーにされるものの中で、この二つがもっとも低価格です。韓国って巻物と麺料理がそんなに安物扱いなのか？　と思われるでしょうけど、相応の経緯があります。結論から言いますと、4年前に韓国に行ったときには食べなかったので未確認ですが、6年前に私がまだ韓国にいたときには、普通3000ウォン台だったグクス（ジャンチグクス）が6000〜7000ウォン台になっていました。1000ウォンが基本だったキムバップは、3000ウォン。日本円にして、それぞれ、約600円、約300円です。なんだ、これなら十分安いではないか、という見方もできますし、たしかにその通りですが、実は違います。

韓国では、こうした食べ物を売る店を、ブンシクチップ（분식집、粉食屋）と言います。

もともとは、ちゃんとした1食を取るための店ではなく、どちらかというと小腹を満たす、または子供、学生たちが利用する、そんなイメージの店でした。

読者の皆様、「物足りないけど、なんとかランチ一食分にはなる食べ物」として、何を選びますか。日本だと500円ぐらいで食べられる定食もあるのでランチならそれだけでも十分何とかなりますが、それよりもっと安いもの、食事というか、「しのぐ」というか、そんな食べ物のことです。やはりおにぎりでしょうか、それともカップラーメンでしょうか。

米の代用品として出発した「グクス（韓国の素麺）」

韓国では、1960年代~1980年代には、「グクス（국수、韓国の素麺《そうめん》）」でした。グクスは、一時は、韓国の麺料理の総称のような単語でしたが、それは、昔からこれといって麺料理が無かったからそう呼ばれていただけで、中華飯店での「ジャジャンミョン（ジャージャー麺）」、レトルトですがラーメンなどが普及してからは、グクスというと韓国式の素麺を意味する言葉になりました。

1970年代、いや1980年代までも、お金が無くて、米はおろか、その代用の穀物も買えない人は大勢いました。そんな人たちが、グクスを食事の代用にしていました。粉食屋や屋台などでも、そうした需要を狙い、グクスを安く売っていました。それすら買えない人たちは、まだスーパーマーケットというものも珍しかった時代、町の商店で売っているグクスを買って、適当なもので出汁を作り、それで食事を済ませました。

「適当なもの」すら無い人たちは、汁も作れず、キムチなどに素麺を混ぜて食べたりしましたが、それが、いまのビビンミョン（強く味付けされた少量の出汁に、麺を混ぜて食べる料理）類の始まりです。

グクスが「安く済む」とされたのは、もっと昔からで、あとでグック（韓国のスープ料理の総称）のところでも触れることになりますが、苦しかった時代、「多人数で食べる」というのは、いろいろ大変でした。朝鮮時代になる前からあったとも言われているものの、詳しくいつからなのかは分かりませんが、「村」が一つの親族のように機能していた頃、何か大いに祝うこと、たとえば結婚とか、出産とか、そんなイベントがあると、みんなで何を食べればいいのか、そういう悩みがありました。

その際に役に立つのが、スープ料理、グックです。ネタ（具材）は少なくても、水を入れて煮て出汁を用意すれば、なんとか大勢の人たちで食べることができました。もちろん、味は保証できませんが。グクスは、そうした用途で用意され、強いて言うならパーティー用の食べ物になった、と言われています。肉など高級な材料は用意できなくても、山菜と、適当な麺（粉麦などで作るいまのグクスとは別物だったでしょうけど）を用意すれば、なんとかなりました。それらを、ジャンチグクスと言います。

ジャンチとは、昔は結婚式という意味だったと聞きますが、いまは「パーティー」を意味します。現在では、名前の由来とは関係なく、粉食店をはじめ、韓国の多くの店で売っています。体に良い材料を使うなど、特別なジャンチグクスを売る店もあるし、そうしたものは高いですが、基本的には、「安い」料理とされます。

グクス（作り方や麺の形でいくつかバリエーションがあります）以外では、韓国の有名な麺料理は、伝統的なものは無く、ラミョン（ラーメン）とジャジャンミョン（ジャージャー麺）があります。ラーメンといってもレトルトラーメンを調理して出すのが普通ですが、ジャンチグクスはそれよりも安く売られていました。

若い人たちがインスタントラーメンを好むようになったのも理由ですが、ジャンチグクスは、一時に比べると人気も右肩下がりです。しかし、まだまだほとんどの粉食店で売っているし、韓国では極めて珍しい存在である「自国の麺料理」ということもあって、外国人観光客などがよく訪れる大きな駅やターミナルでも、普通に売っています。でも、そのもともとの用途は、昔から「安い食事」。普通は3000ウォン〜4000ウォンぐらいで食べられるものでした。

それが、今回の韓国旅行では、６０００ウォン～７０００ウォンになっていました。しかも、食べてみたところ、なんというか、4年前より味が薄くなっている気がしました（これはもう少し後に、「津（ジン）さ」について書く際に、また取り上げます）。今回は食べませんでしたが、ジャージャー麺も同じです。調べてみたら、平均で７０００ウォンまで上がっている、とのことでして。私が知っている4年前、「ジャージャー麺ごときが５０００ウォンを超えてはならない」というネットコメントなどをよく見かけました。

「ジャージャー麺」は庶民の子供のご褒美料理

ジャージャー麺は、１９８０年代までは、子供が何か良いことをすると（テストの点数が良いとか）、「ご褒美《ほうび》に、外食で食べたい料理」不動の1位でした。しかし、それは当時の経済からして、庶民が「家族で外食できる」ほぼ唯一の選択肢だったから、でもあります。ジャージャー麺好きだったというより、それ以外は食べられなかったわけです。

ジャージャー麺は、安物扱いでした。ジャンチグクスは主に大人が、ジャージャー麺はちょっと若い人たち、子供が好きでした。なにせ、当時のジャンチグクスは、いまよりも味付けがほとんどされておらず、醤油《しょうゆ》やトウガラシ粉などを自分で入れて食べるものだったので、子供には、味が強く、少し甘い味もする、運が良ければ豚肉も少し入っているジャージャー麺のほうが人気でした。少なくとも、私の身の回りでは、そうでした。

1970年代には、ジャージャー麺を、なんと100ウォンで食べられる店がありました。ジャンチグクスはそれより安かったと記憶しています。私も1970年代生まれですから、いまの若い世代はどう思っているのか分かりませんが、韓国人は、ジャージャー麺だけでなく、麺料理には何かの理由を付けて、安物にして見下す、そんなイメージがあります。

韓国人は昔もいまも麺料理をよく食べるのに、なぜでしょうか。よく食べるからこそ、でしょうか。ただ、ジャージャー麺の場合は、いわば人種差別のような側面もあります。「チャンケ（中国人への差別用語）が作るもの」として、社会的に見下されていました。このように、もっとも安い、もう少し優しい（?）書き方にすると「庶民の味方とされてきた」定番メニューが揃いも揃って値上げしていること、しかもその値上げ率が半端ないことは、明らかに物の価格上昇に耐えられない状態である、という兆《きざ》しでありましょう。日本よりは高いものの、欧米に比べると良好な消費者物価上昇率を記録している韓国ですが、これから物価上昇は「安いものから始まって、高いものへと」どんどん繋がっていくことでしょう。

「キムバップ」は1年に一度の贅沢品

「キムバップ」もまた、いろいろありました。いま40代以上の人なら、キムバップほど特別な食べ物もそうないでしょう。１９７０年代、１９８０年代初頭頃の話になりますが、一年に一回、ソプン（逍風、小学校の遠足）のとき、キムバップはドシラック（お弁当）の定番中の定番でした。特に、家の事情（予算）にもよるものの、ひょっとすると牛肉が食べられるかもしれない、そんな日でもありました。

ほんの少しではありますが牛肉などを入れることもありました。焼いて食べるほどの牛肉を買うことはできなくても、巻物に入れるための少ない分量は買えたわけです。良いものが入っているキムバップはみんなの憧《あこが》れでした。最近は韓国海苔といえば焼いたものが主流ですが、昔は日本の海苔巻きと同じだったと記憶しています。韓国のゴマ油「チャムギルム」を塗った海苔で作られたキムバップを、当時「学校と家以外はほとんど知らなかった」子供たちが、遠くまで出かけて、友だちと一緒に食べること。これは、1年に一度だけの贅沢《ぜいたく》でした。逆に、キムバップを用意できなかった子は、ひどく馬鹿にされたりもしました。

朝鮮戦争の漫画にも登場した特別な食べ物

親から聞いた話ですが、それ以前の時代にも、キムバップは特別な食べ物でした。さすがにうろ覚えですが、1970年代後半か、1980年代初頭、私が小学生だった頃の話です。あの頃、私もよく韓国のマンガを読んでいました。字は日本と同じく漫画で、マンファと言います。当時も日本の漫画を真似したものがたくさんあって、特に漫画映画（アニメ映画）は日本のスーパーロボットをそのままコピーしたものがほとんどでしたが、絵は下手だったけど、ユニークなものも結構あったと記憶しています。もちろん、そういうのはあまり人気が出ず、韓国人は日本人に比べて「ライブラリー化」がうまくありませんので、いまはネット検索してみても、何もヒットしません。

個人的に記憶に残っている漫画の一つに、『空を見て、地を見て』というものがありました。単行本で発売されたもので、まわりにも知っている子が一人もいなかった、当時の韓国でもかなりマイナーな作品でした。時代背景は、朝鮮戦争直前。それぞれ自動車（陸）と飛行機（空）に憧れていた二人の少年が、朝鮮戦争のときに離れ離れになるものの、あとで一人はエベレスト山に登頂、もう一人は米軍に拾われてパイロットになり、優秀な空軍として大人になって、再会を果たすものの、二人が恋心を抱いていた少女をはじめ、大勢の人たちが朝鮮戦争で亡くなったあとだった……という内容でした。

良くも悪くも、韓国作品っぽい内容ですが、当時ロボット物以外はあまり興味が無かった私でも最後まですんなり読めたし、当時は反共（反・共産主義）教育が絶対的な「国是」になっていた頃ですが、北朝鮮側への復讐とか、作中に描かれた悪人たちに対して、何か仕返しをするとか、そんな内容がほとんど無くて、逆に新鮮に思えました。

また、朝鮮戦争が起きたのに、なぜか避難せずに村に残っていて、北朝鮮軍に殺される人たち（村の村長で、先の少女のおじいさんだったと記憶しています）がいたことなど、当時の私にしては意外な展開も描かれていました。普通、逃げるでしょう。北韓傀儡徒党（当時はこう呼んでいました）が攻めてきたというのに。

「韓国軍がすぐ勝つから」「逃げなくていい」などの政府放送を信じて、そして「誰かは家を守らないと」という考えなどで、避難せずに残った人たちが多かったと分かったのは、それからもう少し年を取ってからです。私のおじいさんもまた、ソウルの家に残って、そのまま行方不明になっている、ということも。

さて、それはともかくして、なぜキムバップの話の途中に朝鮮戦争が出てきたのかと言いますと。その漫画の中に、主人公たちがキムバップを「少しずつ食べろよ」と喧嘩するシーンがありました。どうもそのキムバップのデザインがおかしかったし、なんでたかがキムバップで喧嘩するのか、と理解できませんでした。1970年〜1980年代のことですから。さすがの私も当時は心清らかでかわいい（たぶん）小学生でした。ウリ（我々）は民族増興の歴史的使命を帯びてこの地に生まれた……で始まる、教室の壁に貼ってある「国民教育憲章」を暗記していたし、給食を食べる前には「金日成《キムイルソン》を叩き潰そう、金正日《キムジョンイル》も叩き潰そう」と叫んでから食べました。どうですか。いい子でしょう。いま思えば心清らかな小学生がやることじゃなかった気もしますが、それもともかく。

「何か知らないことがあればすぐ親か先生に聞いて、知識を増やし、輝く祖国繁栄のために役立つ人になりましょう」も、ちゃんと守っていました。フレーズはかなりうろ覚えですが、学校のどこかに書いてありました。しかし、「わーい、帰化しました」という本に書くと新鮮ですね。

「弁当文化」も併合時代に社会全般に普及

「ママー、これちょっと」と、「理解できない」それらのシチュエーションを母に聞いてみました。すると、母曰く、朝鮮戦争当時はおろか、1960年代までも、キムバップといっても、海苔で適当な穀物と麦飯を包んだものだったそうです。それでもなんとかキムバップを用意できれば、それだけでも弁当を持っていく人としては、「今日は良いものが食べられる」という特別な食べ物だった、いま（1970年代後半）でも、キムバップは人々の間ではかなりの「良いもの」として認識されている。うちはキムバップを普通のものと考えているけど、そうそう食べられるものではない、と。

日本製のビデオデッキが家にある（日本のテレビ番組を録画してきてそのビデオテープを売る人たちがいて、家にも結構な数のテープがあり、日本語を身につけるのに大いに役立ちました）など、うちはかなり裕福なほうでした。だから、まだ子供だった私は、自分の裕福さ、贅沢さに、気がつかないでいたのです。思い出すだけで顔が赤くなるほど、恥ずかしいことです。

さて、全般的に貧しい時代だったというのもありますし、キムバップが美味《おい》しかったというのもあるとは思いますが、なぜキムバップが、麦飯と適当な材料で作っても喜ばれるほど、社会的に「良いもの」として認識されていたのか。

その答えは、併合時代にあります。韓国各地の文化を研究する「韓国文化院連合会」という機関が運用する「地域N文化ポータル」というサイトを覗《のぞ》いてみると、「近代新聞記事から探る料理文化」として、このキムバップに関する紹介が載っています。「日帝強占期」など不適切な単語は、「併合時代」に直しました。

〈……海苔は、朝鮮時代から全羅道の特産物として記録に残っているが、キムバップに対する記録は、併合時代（※原文では「日帝強占期」）、ご飯に酢を入れて、卵、田麩《でんぶ》（タイの肉をピンク色に染めたもの）などを中に入れて、海苔で包むものだと書いてある。酢で味付けをしたキムバップは、戦後、新聞記事でもそのレシピが見られる。現在のキムバップは、酢ではなくごま油と塩で味付けをするようになった。キムバップは、併合時代に、ある程度は余裕がある層から始まり、日本の弁当文化が定着しつつ、大衆化されるようになった……。

……キムバップが（※併合時代より前の）朝鮮時代にあったという資料はない。海苔が併合時代まではかなり貴重な食品だったので、キムバップが朝鮮時代に普及したとは思えない。キムバップが広く普及できる何より重要な条件は、海苔が十分に供給されることであろう。しかし、併合時代になってから、海苔は本格的に生産できるようになり、キムバップもその時期に定着した……また、キムバップは、代表的なお弁当メニューだが、弁当文化も併合時代に社会全般に普及した。朝鮮時代の官庁では、食事を提供していた。それが変化し、職員が昼食時に食堂でご飯を食べたり、弁当を食べるようになったのが、併合時代だ。朝から出勤して1日8時間以上勤務する官庁生活で、弁当は必須となっていった。学校も、朝早くから登校して一定時間以上勉強するようになったため、弁当は無くてはならないものであった。昌慶苑《チャンギョンウォン》に桜の花を見に行くなどにも、弁当は必須品だった。もちろん、食堂で昼食を買って食べることもできたが、桜の花見などには大勢の人たちで混雑していたため、弁当を用意したほうがずっと楽だったのだろう。もちろん、すべての弁当が、美食というわけではなかった。1920年代、工場に出勤する婦女子と青少年などは、朝早くから朝ごはんを弁当に包んで出勤した。こういうのを美食だったと言うことはできないだろう。美味しい弁当というのは、ある程度は余裕がある階層だけ用意できるものであった。

(『地域N文化』「近代の新聞から見る料理」カテゴリー/「併合時代に寿司として作られたキムバップ」より)

花見に海苔巻きは「新しい時代」の象徴

同じページに、1930年3月7日『東亜日報』の記事も紹介されていたので、こちらはポータルサイト「ネイバー」が提供する新聞記事ライブラリーから、オリジナルを読んでみました。こちらもまた、併合時代、キムバップというのが、ある種の憧れだったことが読み取れます。日本でも、大正時代に、ハイカラな服で銀座や日本橋あたりを散歩することが「新時代への憧れ」だった時期もあると聞きます。似たような感覚だったのでしょう。

新しく整備された公園に、桜の花見、そして海苔巻き寿司という、「新しい時代」たる併合時代の最新文化。当時、ある程度余裕のある人なら、キムバップが「新文化」が象徴する何かに見えたでしょうし、余裕が無かった人たちでも、なんとかして一度は真似してみたいと思ったはずです。記事（「京成同徳女普 ソン・グムソン」氏が寄稿した内容で、「御婦人の知るべき春の料理法」）によると、そこにはいくつか料理が載っていますが、キムバップとサンドイッチも引用してみます。

〈……外に遊びに行くには実に良い時期が近づいています。こんな時に用意して持ち運びやすい料理をいくつか紹介致します。昌慶苑に花見に行くとしても、昼食の時に、食堂に入ると量は少なく高価で、本当に経済的とは言えません……自宅で準備して、青い空を見上げながら、青い芝の上に座り、美しい景色を見ながらの食事は、実に楽で、経済的で、心も爽快になることでありましょう。「サンドイッチ」。これは西洋の弁当のようなものですが、持ち運びには一番です。パンとパンの間に肉や野菜などを入れたものであり……パンは四角のものがいいし、朝作ったパンを夕方に使えばもっともいいでしょう。パン屋さんで機械で切ってもらうと楽です。自宅で切ってもいいでしょう。パンを薄く切って、三枚か四枚を並べておきます。片方にバターを塗り、中身を乗せます……（※以下、中身によってハム、野菜、ジャム、たまごサンドイッチなどの簡単なレシピが続きます）……。

……「酢飯」。お米1ドゥエ（※約1・8リットル、ホップはドゥエの10分の1）に水9ホップ、酒を約半ホップ、塩を匙《さじ》半分。釜に水と酒を入れて、沸き出したら米を入れ、塩を入れてから混ぜて蓋《ふた》をして、いつもより水を少なめにした感覚で炊きます。ご飯がある程度炊きあがったら、酢を1ホップ、飴2匙、塩1匙、アジノモト1匙を混ぜて、ご飯に入れて混ぜます。これが酢飯を作る方法です……（※その酢飯を包む料理として）「キムサムバップ（※海苔で包んだ飯という意味）、ノリマキスシ」。材料はアサクサノリという厚い日本の海苔で、朝鮮の海苔の場合は、アサクサノリには及びませんが、2枚使います。干瓢《かんぴょう》を水につけ、日本の醤油と砂糖ミリン（日本の甘酒）で味を調整しておきます。シイタケもやはり同じくしておきます。たまごをよくかきまぜ薄く焼いて、3ミリくらいの幅で細長く切っておきます。田麩という、タイの肉を桃色に染めたものがありますので、店から買って用意しておきましょう。全部用意できたらスシス（※巻きすのことだと思われます）の上に……巻きます。あまり強く巻くと海苔が破れてしまいます。弱すぎるとうまくまとまりません。八つから十に分けて切って、日本の赤い漬物と一緒に食べます……〉

もともと朝鮮半島には「弁当文化」はなかった

アサクサノリ、キムサムバップなどは原文表記をそのままカタカナにしました。また、マキスも原文では「スシス」という単語になっているし、さすがに当時といま、そして本土（日本列島）と朝鮮半島とでは、日本語で出来た言葉でも、微妙に異なっていたのでしょうか。キムサムバップという言葉は、最近の韓国では聞きませんが、作り方の説明からして「巻物」だとわかります。サムというのはサダ（包む、包装する）から来た言葉で、いまの韓国では全体的に包む料理（寿司屋の「つつみ」系の寿司のように）に使います。

引用部分にはありませんが、「私たちは私たちの食べ方に合わせて」という理由で、サンドイッチにコチュジャンとナムルなどを入れて、なんというか、ビビンバのような料理として食べるのも紹介されていて、新鮮といえば新鮮でした。

いまでも韓国では似たような主張をよく聞きます。「韓国人だから」という理由で、洋食のコーンスープにご飯を混ぜて食べる人も、リアルで見たことがあります。とはいえ、ビビンバサンドイッチは見たことありません。この話をブログに書いたら、「ビビンバサンドイッチ、日本の某韓国料理店で見たことある」というコメントもありましたが。

とにかく、ここで紹介した『地域N文化』と『東亜日報』の記事だけでなく、他にもいろいろ資料を読んでみると、「海苔で包んだ酢飯」がキムバップのことなのは、まず間違いないでしょう。そして、両記事、特に『東亜日報』の記事に書いてある各種材料から、「余裕のある層」のものだったことが、さらにハッキリしてきます。ジャムとか、パンを店に頼んで機械で切ってもらうとか。キムバップは、併合時代に始まった、「余裕のある人たちの、麗しき最新文化」のシンボルである弁当の一環だったことが、よく分かります。

さて、何が言いたくて歴史ドラマ的なキムバップ物語を紹介したのか、と言いますと。理由は二つあります。一つは、本書だけでなくいつも本やブログに書いている私の持論ですが、併合時代ってすごかった、という感覚。またもや同じ感銘を受けたからです。昔の記事を読むといつも思うことですが、この時期の記事を読めば読むほど、すべてハングルで書かれた記事だし、韓国側が主張する「史上最悪の植民地支配」がどれだけ事実からかけ離れたものなのか、胸が苦しくなります。

もう一つは、「だからこそ」、安物に劣化したこと、キムバップが「適当に食べる安い食事の代名詞になった」という話がしたかったからです。もちろん、キムバップが朝鮮半島で独自の進化（よくもわるくも）を遂げたこともあります。しかし、そこにはちょっとした「心理」も作用しました。

韓国でステンレス食器がいっきに普及したのは、使い勝手などの問題もありますが、実は「富裕層が使っていた洋食器に似ている」という理由もあります。金属製の食器を使っていたのは昔からですが、金、銀でできた食器が使える人は、貴族だけでした。近代、現代と時代が変わっても、（主に銀でできた）洋食器を所有している人たち、併合時代からすると結構な勝ち組だったでしょうけど、彼らの洋食器には、誰もが憧れていました。

その心理を利用し、朝鮮戦争のあと、ステンレスで「当時の洋食器に似ている」をアピールしたわけです。いまはもうありませんが、「サミ」などの会社はこのステンレス食器で一気に大企業になり、1980年代にはプロ野球の球団まで所有していました。

あれと似たような展開が、「お弁当」でも見られるようになったわけです。朝鮮半島には、弁当文化はありませんでした。そもそも、「弁当」にあたいする固有な単語が存在しません。韓国では弁当を「ドシラック」と言いますが、これの語源は、（諸説ありですが）ドスルックといって、実はものをいれる小さな箱、縄のようなもので結んで、ぶら下げて持ち運ぶ箱の一種です。

「食文化＝社会発展」を牽引した日本

昔、どの地域でどれだけ広く使われていた言葉かも不確かですが、戦後、韓国初代大統領の李承晩《イスンマン》政権のとき、弁当は日本語だから使ってはいけないという趣旨で、弁当をドシラックにする、と決めました。しかし、ドスルックとかドシラックという言葉は、弁当を代替するために急に用意したものにすぎず、韓国の人たちにとってもそこまで一般的なものではありませんでした。

そこで、戦後もしばらくの間、少なくとも1980年代までは、まだまだ多くの人たちが「ビョント（弁当）」という言葉を使いました。弁当の「弁」の韓国式読みが「ビョン」なので、「ベントウ」の聞き間違いから出来た言葉だと言われています。併合時代の記事から「ビョント」表記があり、1960年代の記事には、ビョントとドシラックを併記、すなわち「ビョント（ドシラック）」とする文章を見つけることができます。というか、40代以上の韓国人なら、親からビョントという言葉を聞いたことがあるでしょう。

韓国で、いまの言葉で「お弁当」と呼べる文化が芽生えたのは、併合時代からです。2

000年代までは、遠足や学校に持っていくだけでしたが、日本のコンビニ文化が韓国に入ってきてからは、普通に買って食べるものとしてその範囲が広がりました。

古くから旅行文化が流行り、公園など近代化によるインフラ建設が早かった日本。つくり手の創意性と和食の多様さ、そして、それらを使いこなす高い民度。さまざまな分野で日本は弁当文化の発展に向いていたのかもしれません。朝鮮半島の場合、近代化が後れたこともちろんありますが、そもそも持ち運べる料理には向いていませんでした。人の拳《こぶし》のように御飯を握ったチュモク（拳）バップというものがあったと聞きますが、そもそもいつからあったのか資料もなく、これも日本の「おにぎり」から始まったのではないか、と私は思っています。いまでも、韓国で売っている弁当は、日本の弁当の美味しさには遠く及びません。特に駅で売っているものは、あまりオススメできません。

キムバップを「適当な食事の代名詞」に仕立てる

戦後、1990年代まで、韓国の「弁当」は、「とりあえず持ち運べるもの」と、「せっかくだから美味しいものを」という二つの間で、バランス取りが行われました。残念ながら、様々なおかずが入っている、たとえば幕の内弁当のような日本式の弁当を目指すには、社会的認識でも、技術的にも、無理がありました。そこでもっとも「受け」がよかったのが、キムバップです。

悲しいことに、それは、先の『東亜日報』の記事などで紹介されているものから、劣化する方向でした。食堂で食事をするほどの時間が無い人、お金が無い人、そんな人たちを狙って、バスターミナルや駅などで、「適当に野菜などを海苔で巻いたもの」が売られるようになりました。1980年代のものは、率直に言って（家で母が作ってくれたものに比べると）特有の甘っぽい味もせず、肉も入っておらず、切り分けられず細長い形のものもありました。ゴマ油と、なぜかゴマを付けて、それで味付けをしていたと記憶しています。

そして何より、キムが破れて、中身がバラバラになっていたりしました。いまでも韓国には、「余計なこと、またはとんでもないことを言うな」という意味の、あくまでジョーク的な表現として、「キムバップのワキが破れるようなこと言うな」という表現があります。キムバップが破れると食べづらいし、細長いものだと中身が落ちてしまうから、こんな表現も自然に出来上がったのでしょう。あ、この部分は完全に私見です。

弁当の定番、キムバップ。というか、事実上、これしか弁当が無かった時代。それでも、キムバップは、併合時代を生きた親世代にとって、美食、何かとても良きもの、というイメージが残っていました。その認識が、キムバップを子供の遠足の主人公にしたのかもしれません。世代が変わっても、キムバップ弁当に憧れていた子供にとっては、おとなになっても、キムバップのイメージは相当良いものでした。

しかし、同時に、低価格化も進んでいました。バスターミナルで、駅で、適当に売っていたキムバップ「もどき」は、相応の材料を作る店を増やしていたし、一応、そういう弁当を作る会社も、ノウハウも、増やしていきました。そこを狙って、いくつかの企業が、キムバップを「適当な食事の代名詞」に仕立て上げます。

キムバップの価格は、物価を反映するバロメーター

1990年代後半から、2000年代初頭の間だったと記憶しています。経済破綻などいろいろあった頃、このキムバップを1000ウォン（約100円）で提供するチェーン店が現れました。すぐ似たような事業を展開する企業が現れ、いくつかチェーン店が広がりました。韓国でよく見かける、「キムバップ天国」などの店も、その一つです。

共通するのは、1000ウォンという破格の安さ。量が少な過ぎて、とても一人前とはいえないものでしたが、ランチにお金が使えない人たちにとって、これは救世主のような

存在でした。これは決して「味が美味しくない」という意味ではありませんが、劣化というか、併合時代から始まったキムバップの、「下向平準化」の終着点でもありました。

それから、キムバップ一人分の価格は、その時期の物価を反映するバロメーターのようになりました。2000ウォンになったときには、一部のネット掲示板では「ついに世界が終わった」という雰囲気でした。それが、今回、当たり前のように3000ウォンになっていました。なんというか、単に物価が上がったと言うより、ベースとなる部分が上がってきた、といったところです。

韓国では、「一人でご飯を食べるのは、負け組」

他に、物価とは関係ありませんが食べ物関連で目についたのは、「一人で食べる」店やメニューが、格段に増えたことです。韓国では、「一人でご飯を食べるのは、負け組だ」という偏見がありました。韓国は、ウリ（私たち）を構成して、ナム（他人）より上に立つことを重視する社会風潮が強い国です。

しかも、韓国では、つい2000年代になるまで（1997年経済破綻などの影響で）、「一緒に食べた人の分まで食事代を払う」のが「できる人」の社会マナーのようになっていました。いわゆる「割り勘」は、若い世代では一般的になったと聞きますが、まだまだ失礼とされがちです。それが、他人から頼りにされる人の印、そういう歪《ゆが》んだ認識が強かったわけです。

一人で食事をするのは、そのウリを構成できなかった人、または仲間の食事代を払わないための行為などとされ、見下されました。その結果というか、韓国には、酒を飲むバーでもないかぎり、食堂、レストランなどには「カウンター席」がありません。あるとしても、ほとんど機能しません。2005年、日本旅行に来て、無数の「定食」メニュー（一人で食べやすい）があるのを見て、びっくりしました。ちなみに、日本に住むようになってから、体重が増え続ける今日この頃です。

ただ、韓国もさすがに、一人で食べるという人を無視できなくなったのでしょうか。まだまだ日本ほどではないものの、今回韓国旅行にて、一人でも注文できる「定食」系のメニューが、結構目につきました。いままでも、一人で注文できるメニューが無かったわけではありませんが、それは洋食堂、中華飯店、粉食屋がメインで、普通の食堂で一人で注文できるメニューは決して多くありませんでした。それが、一人で注文できる定食メニューの増加、強いて言うなら「日本化」が、かなり進んでいました。

「食べる」と直接的な関係があると言い切ることはできませんが、全体世帯の一人暮らし比率は、2021年基準で韓国はすでに40％を超えており、38％とされる日本より多くなっています。韓国の場合、住民登録をちゃんとしない人が多い（たとえば、三人世帯から一人が独立して一人で暮らすようになった場合、その一人は新しい住所に登録し直さないといけないのに、その手続をちゃんとしない）などの理由で、実際の一人世帯はもっと多いのではないか、という指摘もあります。

とにかく、こういう一人定食メニューの増加は、個人的には望ましい変化だと思っています。良いか悪いかではなく、その時代に必要なものですから。社会認識の変化には、まだまだ時間がかかるでしょうけど。

第4章

韓国で失われつつある「マコト」

日本語由来の言葉を変える「言語順化」

さて、もう少し食べ物の話が続きますが……食べ物の話ばかりだと体重にもよくないし（読者の方ではなく自分に言っています）、朝鮮半島の古い言葉とか、そんな話を交えたいと思います。

韓国では、社会各分野に、日本から来た表現が残っています。韓国メディアの日本関連ニュースでもよく話題になるのが、「日帝残滓《にっていざんし》」としての日本語を、韓国語に変えるべきだという、いわゆる「言語順化」、または「言語浄化」です。

物価の話をしながら、李承晩《イスンマン》大統領が弁当をドシラックにしたという話をしましたが、そういうのも、韓国政府レベルの言語順化によるものでした。それからも、国民学校を初等学校に変えたり、地名、住所表記、言語以外にも制度的なもの、たとえば戸籍制度の廃止など、基本的には「日本式から別のものに変えること」が、韓国社会の主な順化（正しい方向になること）、浄化の方向性でした。

しかし、韓国の近代・現代文明のほとんどは日本から入ってきたもの。それに、ハングルと漢字を併用するシステム、韓国で言う「国漢文混用」システムそのものが日本式であるし、～的、～主義などの表現はすべて日本で作られたものであるため、日本から入ってきた用語、日本式表現、そもそも日本の文化を「完全浄化」することは事実上不可能でしょう。それを浄化と言うこと自体、単語の使い方がおかしいところですが。

いつだったか、野党「共に民主党」の政治家が「産婦人科は日本式だから別の名称に変えるべきだ」と主張し、現役産婦人科医師から「民主党も日本式だから党名から変えろ」と言われたこともあります。

いまの韓国語が、「意味」を得意とする漢字を切り捨てたことで、その差はさらに広がっている、と私は思っています。先のように「日本式表現」を変えた（ベントウをドシラックにしたり）ところで、日本から入ってきた意味そのものまで消えるわけでもないし、いま現在の韓国語が、併合時代などの歴史を通じて、様々なものを受け入れながら形作られたものだと認めれば、別にそのままでいいではないでしょうか。なぜこんなに、特に日本から来た表現だけにこだわり過ぎて、自分で自分の使ってきたもの、いわば「連続性」を否定しようとするのか、嘆かわしいところであります。

先も弁当の話をしましたが、最近は聞かなくなった言葉として、「ビョント（변또）」というものがあります。ハングル（한글）が作られたのは1443年ですが、当時は母音に「：」を付けて長音表記していました。例えば「아」はアで、「아：」はアーです。でも、

17世紀あたりから長音表記は無くなり、いまでは表記法そのものがありません。たまに母音を二つならべて、たとえば아아（アア）と表記する場合もありますが、それらは非公式で、そもそも公式表記法がありません。

ハングルには同じ発音の単語が多すぎないか、とよく言われますが、この長音表記が無いのも、その理由の一つです。いまは、人の目も空から降る雪もすべて「ヌン」と言いますが、昔は、目は「ヌン：」、雪は「ヌン」でした。ビョントの「ト」も、その結果です。弁当（ベントウ）の「トウ」が表記できないから、「ト」だけにしたわけです。最近なら「토（TO）」にするはずなのですが、併合時代には字音を二つ並べて発音を強くすることがいまより多かったためか、「또（DDO）」になりました。

では、「ビョン」は何なのか。これについては韓国でも諸説ありますが、「弁」の韓国語読みが「ビョン」だからそう表記しただけだという話もあるし、単にベントウの聞き間違いによる誤表記がそのまま定着しただけだ、という話もあります。あとで併合時代の古いハングル資料を読んでみても、そこでもハングルでビョント（변또）と書いてあります。

個人的には、後者が説得力あると思っています。弁を韓国語読みにしたものなら、当も韓国語読みで「ダン」として読んで「ビョンダン（弁当）」にするはずなのに、なぜ前の字だけ韓国語読みなのか、ちょっと不自然です。当時にしては聞き慣れない言葉だったはずだし、誤表記だったとしても別にそれが悪いというわけでもありませんし。ただ、最近はビョントという言葉を使う人はいません。1970年代までは普通に使っていましたが。

私もまた、大人たちが「ビョント」という言葉を普通に使うのを聞きながら育ちました。彼らが何か悪いことをした、悪い言葉を口にしたとは思えません。それに、ドシラックのように急造された言葉が、韓国語としてもっと発音しやすいものだとも思えません。これは、行政的な側面でも強く現れています。

「絆」の韓国語訳に頭を悩ませる

帰化のための書類を用意しながら、家族関係証明書など様々な書類に、「登録基準地」というものを書く欄がありましたが、私はこういうものは初めて見ました。韓国にいたときは平日に動くことがほぼ不可能だったので、行政関連の手続きを人に任せていたのも理由でしょう。でも、いくらなんでもこんなのは初めて見ました。何をどう書けば良いのか分からなかったので仕方なく検索してみたら、「普通に『本籍』を書けばいい」とのことでした。

2008年に戸籍制度が廃止され、本籍は登録基準地という表記になったとのことです。

これはさすがに「私が知らなかっただけ」というのもありますが……軽くネットで調べてみたところ、登録基準地がどういう意味なのか、家族関係登録簿（戸籍）がどういう意味なのか、知らない人は結構いるようです。本籍という言葉は「自分を証明するための情報」として常に共にありましたし、かなり違和感がありました。良いか悪いかではなく、こうして「別のもの」に変える必要があったかどうか、疑問です。

表向きにはされていませんが、どうせ「日本的なものを切り捨てたい」という考えの現れでしょう。住所地の表記も似たような理由で大幅に変わったし、変わったからといって何かメリットがあったのかというと、そんな話も聞こえてきません。何せ、戸籍制度も住所表記も、既存のもので何か大きな問題が起きていたわけではありませんので。

このように、言語順化、または浄化に熱くなっている韓国社会ですが、だからといって表現力などにおいてさらに良くなってきたかというと、そうも思えません。日本語と韓国語の両方が話せる私としては、語彙《ごい》というか、表現力などにおいて、日本語の「静けさ」と「豊かさ」に驚きが隠せない毎日で、韓国語では表現できない日本語表現が、自分の頭の中で増えていく毎日です。

最近、しばらく「絆」を韓国語でどう訳せば良いのか結構悩んだことがありますが、結局、できませんでした。「糸」の「半」分という概念をどう伝えるか、分かりません。韓国語では普通「約束」と訳されますが、個人的に、あまりおもしろくない訳だと思っています。ちなみに、この「絆の韓国語訳をどうするのか」は、10年近く前から、私のちょっとした探求対象でもあります。いまのところは「ちゃんとした訳はできない」が結論です。

しかし、そんな状態だからこそ、韓国で一般的に使われている言葉の中に、日本語と完全に別のものがあると、どうしてもその単語に興味を惹かれることになります。こういう単語は、逆に、日本語にするとどういう単語にすべきか、カタカナ表記のままのほうがしっくりくる、とか、そんなところです。

庶民は口にできなかった「湯(タン)」料理

さて、そういう単語の一つで、また、ここから食べ物の話に戻りますが、「グック(국)」という単語があります。グックとは、グッパなど、いろんな材料を煮て汁を出し、それをご飯にかけたりして食べる料理の総称です。ちなみにグッパとは、グックバップ、グックとバップ(ご飯、または食事)のことです。カルビタンなどに使われる湯(タン)という言葉は、グックの漢字表現ということになっていますが、どちらかというと「当て字」になります。

ただ、昔から朝鮮半島は、指導者に皇帝という言葉が使えないなど、事実上、中国の諸侯国（属国）のような立場だったので、中国の湯（タン）はグックの尊敬語ということになっていました。いまでは、カルビタンやサムゲタンなど一部の料理、そして中華料理のものを「～タン」としていますが、単に「そういう料理名だから」というだけで、タンがグックの尊敬語だと思っている人はまずいません。

韓国では、一般的には三代までのご先祖様の命日に、長男の家に家族が集まって、家庭で祭祀《さいし》を捧げます。私も子供の頃は、大きな「サン（主に食卓として使う韓国の座敷机）」いっぱいにすごい料理を用意し、それに男性だけジョル（土下座のような形の深い礼）をし、しばらくしてから家族全員でその料理をいただきました。

その際、大人たちがご先祖様のために用意されたグック料理を、「タン」と呼ぶのをよく聞きました。でも、それ以外には、タンを敬語として意識しながら使ったことはありません。思えば、グックではなくタンという字が使われた料理は、主に庶民は口にできなかったはずの高級料理、カルビタンや参鶏湯《サムゲタン》のようなものばかりです。

中国ではタンという字を普通に使いますが、昔の朝鮮半島では、ちゃんとした中華料理など庶民が食べられるものではなかったはずです。ひょっとすると、タンは身分の高い人たちが食べるグックとして認識され、そのままタンがグックの尊敬語のような使い方になったのではないか、私見ではありますが、そんな推測もできます。

併合時代にもたらされた「銭湯文化」

日本では、湯（タン）といえば、一部の中華料理以外では、湯（ゆ）のことですね。銭湯とか、温泉など。でも、韓国では料理にしか使いません。韓国料理はすごく熱いものが多いので（熱すぎると味がよくわからないので、私はあまり好きではありません）、湯といえば料理と同じくものすごく熱いもの、日本で言う沸かし湯のようなものを意味します。でも、面白いことに、韓国でも、銭湯を意味する言葉である「沐浴湯（モクヨクタン）」だけは、いまでも湯の字を使っています。これもまた、併合時代の影響です。朝鮮半島には、銭湯というものがありませんでした。詳しくは家の中にある、体を洗う場所を沐浴間（モクヨクカン、髪や体を洗う部屋）と言いますが、これは極めて珍しく、一部の貴族階級が沐間桶《モクカントン》という木製の大きな桶を所有するだけでした。

奴婢《ノビ》など下僕《げぼく》たちが、熱い湯を運んできて、桶の中に入れる、そういうものでした。朝鮮半島に一般的な銭湯文化が入ったのは、併合時代である1920年代です。朝鮮半島に来た日本人及び外国人たちが、体を洗う空間が無さすぎるなどの理由で、当時の朝鮮貴族たちの反発を受けながらも銭湯の設立を要請し、平壌《ピョンヤン》に初めて沐浴湯が建設されたと言われています。だから、いまでも沐浴湯という言葉だけは、湯が「銭湯」と繋がる意味として残っているわけです。

最近は、沐浴湯という言葉より、「〜サウナー」(もともとは、サウナーは銭湯とは意味が違いますが)、「〜センター」と言うところが増えてきました。一時は、韓国にも、日本に劣らないほど多くの沐浴湯がありましたが、最近はあまり見かけなくなりました。

「津(ジン)している」の意味

さて、「朝鮮半島の固有な言葉」の話に戻しますと、実はその「グック(以下、タンも含めます)」こそが、その一つです。単語だけでなく、表現的にも、日本との相違点が目立ちます。たとえば、韓国ではグックなどの濃さを、「ジンさ」と言います。グックなど、出汁などが濃い場合に、「ああ、ジンハダ(ジンしている)」と言います。

ここでジンは、「津」の韓国語読みです。船が通る道や船着場などにこの字を使いますし、何かが湧き出るということで興味津々とも言います。でも、なぜグックが濃いことにこの字を使うのかは、はっきりとは分かっていません。ただ、松の木から出るネバネバした樹液を「ソンジン（松津）」と呼ぶなど、この字には「薄くない何か」という意味があったと思われます。

料理以外にも、ジン（津）～の表現は普通に使われています。たとえば、映画やドラマで、ラブストーリー的な展開が強かったり、エロスなシーンが出てきたりすると、「ジンハダ（津している、濃い）」と言います。

このように、朝鮮半島独自の単語、表現が多いグック関連ですが、それもそのはず、朝鮮半島の各時代の社会において、グックは「上下関係」を象徴する存在でもありました。私見ではありますが、私は前からブログや拙著などに、「韓国料理は、材料を煮て汁を出すことこそが根幹」と書いてきました。他に料理が無いというわけではありませんし、貴族文化的な考え方ではありますが、料理を「薬」のようなものだと思っていたためです。

あまり愉快な話ではありませんが、身分制度のある国で、貴族層が文化の発展をリードし、後の世で庶民文化がそれを真似する形で「大衆化」が行われるのは、別に珍しいことでもありません。薬草などを煮て、その成分を漢方薬として「出す」こと。これがそのまま料理にも適用されていました。

韓国人はいまでも料理を見て「情誠《ジョンソン》」という言葉を最高の評価とします。最近は西洋の薬が一般的で、漢方薬といっても自分で材料を煮る人はいないので、薬のほうでは情誠という言葉を使いません。しかし、朝鮮時代まで、薬が効果を出すには、それを煮る人の情誠が何より必要だと信じられていました。

「参鶏湯《サムゲタン》」の由来

基本的には患者の妻の役割で、薬の材料を煮ながら「夫が治りますように」と心を込めないと、その薬は効果が無い、という民間信仰的な考え方です。時代劇などを見ると、患者が治らなかった場合、妻が親から「お前の情誠が足りないからだよ」と怒られるシーンがよく出てきます。私が子供だった頃、「伝説の故郷」など、各地の伝承（人気対策として、ほとんどのエピソードは幽霊関連でしたが）を扱う番組で、特に多かったと記憶しています。

朝鮮時代は、国策として儒教思想が普及された時代ですが、その影響もあって、妻や子が「情誠」で夫や親の病気を治したという伝説が各地に溢《あふ》れました。その影響もあったのでしょう。そういう考え方が、料理にも適用されていました。心を込めて料理を作れば、材料が持っている良い成分がちゃんと出てきて、薬のような効果を出す、と。

この考え方は併合時代にも続いていて、一部の料理ではさらに強化されました。たとえば、朝鮮半島には「白熟《ベクスク》」という料理があります。グックといっても調味料や味つけのための具材をいろいろ入れるのが一般的で、だからグッパなど韓国のスープ料理は色も濃いのが特徴です。でも、白熟の類《たぐい》の料理は、朝鮮半島式としては珍しく、味つけなどをせず、材料をありのままに水に入れて煮る料理のことです。汁も白い色なので、白熟と呼ばれるようになったと聞きます。

いまはいろいろ改良されていて、グッパと区別がつかないものも多いですが、本来の白熟は、いまの韓国料理からすると信じられないほど味つけがされておらず、とりあえず食べる前に塩を多めに入れないと、話になりません。でも、「夏バテに効果的」「夏に食べておくと冬に風邪を予防できる」などの効果があるとされ、特に鶏を一羽丸ごと使ったものが、最高の保養食とされてきました。

余談ですが、サムゲタンもカルビタンもこの白熟から始まったバリエーションの一つで、白熟もまた、具材の質にもよるものの主に身分の高い人たちの占有物でした。併合時代、身分制度から解放され、経済的に成功した人たちも白熟などを思いのままに食べられるようになりましたが、経済的発展と、各種栽培技術の発展もあって、この「料理は汁を出してこそ意味がある」とする考えも一般化され、新しいアイデアが増えました。

そこで、詳しく誰が先に始めたかまでは分かりませんが、「本土（日本）の人たちも高く評価してくれる、朝鮮人参を入れてみたらどうだろうか」ということで、鶏の白熟に人参を入れるようになりました。これが、いまの参鶏湯《サムゲタン》です。サムゲタンを朝鮮半島の伝統料理だと思っている人も多いですが、実は併合時代にスタートしました。

焼肉なども、最近は韓国のほぼすべての焼肉店が日本式（焼いてからタレに付けて食べる）になっていますが、１９８０年代まで焼肉というのは、本当は「汁を出す」料理でした。山なりの大きなプレートに、予《あらかじ》め味つけしておいた牛肉と野菜を一緒に焼いて、プレートの下の部分にある溝の部分に汁を溜めて、その汁と肉を一緒にいただく、汁はご飯に少しかけていただく、それが韓国のプルコギ（正しくはプル・ゴギ、プルは火でゴギは肉のことです）です。イメージできないという方は、北海道料理の「ジンギスカン」と見た目がほぼ同じですので、そちらを参考にしてください。

または、昔に私が見たものとはちょっと違いますが、ネットで「韓国 プルコギプレート」で検索しても、普通にヒットします。私が初めてこの話をブログに書いたのは、もう十数年前になりますが、あのときは検索してもちゃんとヒットしなくて説明に困った記憶があります。これはこれで感慨深い話です。シンシアリーという名前を使うようになってから、もう20年近く経ちます。

「グック」は、美味しいかどうかを超えた「上下関係」の象徴

この「汁を出すことが朝鮮半島料理の根幹」とする私の持論は、いまでも変わっていません。それに、これまで書いてきたように、タン（湯）も含めてグックという料理は、単に美味しいかどうかという問題を超えて、社会の「身分」、すなわち上下関係の象徴でもありました。

貴族階級は、良い材料から「良い成分」を取るためにグックを食べました。貴族階級に仕える人たちは、身分の高い人たちが食べた残り物に、水を入れ、薄くなったグックを食べました。貴族の家で働くことすらかなわなかった人たちは、適当な具材を入れ、あとは強い味付けでなんとかするしかありませんでした。主に、辛い味を求めたと言われており、グッパなど韓国のグック料理に汁の色が赤いのが多いのも、そのためです。

このような事実により、韓国では身分（または序列関連の何か）をグックにたとえた表現が残っています。きちんと材料を煮て出来たグックなどを、「ジングック」と言います。先の「ジン（津）+グック」だろうと思われますが、実は、辞書によっては漢字表記が無いものもあり、ジングックのジンがどういう字なのかは、不確かです。

普通に考えると津グックでしょうけど、一説によると、材料をすべて使ったという意味の「全（ジョン）」グックが、発音しやすくする理由でジングックになったという見解もあります。材料を再利用せず初めて作ったという意味で「前（ジョン）」がジンになったという話もあります。後述する後グック（フックク）という言葉が残っているので、これはこれで説得力があります。

個人的に、「真（ジン）」はどうだろうか、とも思っています。もとは中国語ですが、朝鮮半島では本物を「真品（ジンプム）」と言い、「（嘘ではなく）本当」を「真チャ（ジンチャ）」と言います。チャは、古い言葉で「物事」を意味します。だから、「真グック」説もあっていいのではないか、と。根拠はありません。

そして、ジングックでないもの、すなわち、誰か食べたあとに水を入れてまた煮たものなどを、最近はほとんど使わない言葉ですが、「フックク（훗국、後・グック）」と言います。水を加えて「後」から出てきたもの、という意味です。「ジングックは自分で食べて、フッククは他人に食べろと言う」という諺《ことわざ》もあります。自分のことしか考えない、良いものを独り占めしようとする、という意味になります。

同じく、最近はほとんど耳にしなくなりましたが。他にも、「フックク（後グック）を食べる」が「手下のもの」「雑魚《ざこ》または末端」という意味で使われることもあります。後

グックを作るときに入れる水を「ゲックムル（객물、客水）」とも言います。

客と水を繋げた言葉として、「客水（객수、ゲックス）」と「客ムル（객물、ゲックムル）」という二つの言葉が存在します。グックなどに入れる水は、後者です。ムルは水を指す朝鮮半島固有の言葉ですので、前者は漢字だけ、後者は漢字と固有語のハイブリッドになります。前者は、降らなくてもいいときに降る雨のことで、グックに入れる水のことも、別に入れなくていいけど受け入れるしかないものだと考えると、妙に意味が通じている気もします。

それから、戦後の時代になり、朝鮮戦争が起きて、経済発展が始まり、ソウルへの想像を超えた一極集中が始まりました。でも、この現象は変わりませんでした。豊かな人たちは良い材料から出る汁を食べることで、その材料の「良い成分」を摂取できると思っていました。でも、貧しい人たちはそうでもありません。いったん煮て汁を出して、残った材料に、また水をいれて、また煮る……そうやって出来上がったものを食べるしかありませんでした。

韓国で韓国料理を食べたくならなかった理由

さて、本題が遅くなりすぎて「何の話だったっけ」と思われる頃ですが、いまからでも本題に戻しますと、今回の韓国旅行で私が真っ先に思ったこと。それは、グック料理の汁がぜんぜんジンじゃない、いわば「薄すぎる」ということでした。別に濃ければいいというわけでもないからバランスが重要ではないのか……と思うこともできますし、たしかにその通りですが、グックなどの濃さ、「ジン（津）さ」は、韓国料理の根幹であり、ある程度のジンさが確保できていないと、グック料理は全然美味しくありません。

韓国にいたときにも、同じことを思わなかったわけではありません。なんか、味がパッとしないし、ソルロンタンやカルビタン（これらも牛肉を入れた白熟から始まった料理です）を食べる際、キムチをグックにドーンと入れて食べる人たちも大勢いました。

私は、そういう食べ方は好きではありません。子供の頃、母から「ご飯を他のものと混ぜるのは、よくない」という教育を受けていたからかもしれません。昔は、ご飯を別のものと混ぜるのは、卑《いや》しいこととされていました。でも、それはともかく、最初からキムチ味のものを注文したならまだしも、せっかく牛肉で汁を出しているのにわざわざキムチを入れてどうする、見た目もあまりよくない、そんな気がしたからです。

外国で暮らすと、ホームシックとか、祖国の料理が恋しくなるとか、そんな話をよく聞きます。でも、私はどういうことか全然そんなことが無く、むしろ韓国に行ってくることを「義務的なもの」としか考えていませんでした。料理も、韓国料理はほとんど食べませんでした。

キムチが韓国より美味しいという衝撃

前著にも書きましたが、最近1~2年で、日本で作られた韓国料理はどんな味だろうかと興味が湧いて、日本で韓国料理を食べることになりました。結論だけ書きますと、それらは韓国で食べたものよりずっと美味しく、韓国で食べたときに「何か足りない」と思われていた部分を、満たすことができました。

他はともかく、キムチが韓国より美味しいのは、なかなか衝撃的な経験でした。理由は簡単です。キムチだけでなく「辛さ」に、単に辛いだけでなく、「旨辛」を追求しているからです。この「ウマカラ」を韓国語でどう表現すればいいのかいまだ悩んでおりますが、このウマカラというのは韓国には無い概念であり、日本で食べた料理には、すべてにおいて「濃さ」だけでなく「食べやすさ」と「コク」を追求する方向性があり、それが、いまの韓国料理に足りなくなった「津さ」として現れているのでしょう。いや、私は料理批評家ではありませんが、率直に、そう思っております。

余談ですが、コクもまた、いまだ適切な韓国語訳を見つけることができないでいます。日本に来る前にも、「想い」や「絆」など韓国語にするのは難しい単語をいくつか知っていました。もちろん日本語に直訳しづらい韓国語もあるにはありますが、日本で暮らすようになって、韓国語にすることがほぼ不可能だと思われる日本語単語が、どんどん増えていきます。ウマカラやコクなどもそうです。

韓国で食べたグッパは、何もかもが「うすい」

でも、日本で韓国料理を食べてみて、美味しいと思ったのは事実ですが、それでもやはり和食が好きで、日本の韓国料理店の常連になることはありませんでした。今回、4年ぶりに韓国に行くことになって、韓国に着いた次の日には日本に帰りたくなってツイッターに「帰りたい」と呟《つぶや》いたりしましたが、せっかく韓国まで来たわけだし、できる限り「韓国ならでは」のことをしてみようと思いました。

先も書きましたが朝鮮半島をまわらないといけないハードなスケジュールだったので、韓国ならではといっても、主に食べることしかありませんでしたけど。本書に食べ物関連の内容が多い理由でもあります。

韓国ではまだ焼肉などは一人で食べられるところが限られているため、必然的にグックを選びました。いくつかの店に入ってみましたが、ぜんぶ後グックでした。そのうちの一カ所は、どこにあるものか具体的には書けませんが、韓国の鉄道交通において最大の重要ポイントであり、外国人観光客も多い場所にある店です。なのに、うすい、うすい。すぐとなりの席で中国語を使う（中国語の知識が無いので中国本土、香港、台湾など地域までは分かりませんが）観光客の方々も食べていましたが、笑顔ではなく、大して美味しいと褒《ほ》めているようには見えませんでした。これで1200円（1万2000ウォン）かよ、とびっくりしました。去年（2022年）日本で食べた800円のグッパのほうが、ずっと「ジン（津）」でした。

ちなみに、もうここまで読んでくださった読者の方々ならお気づきでしょうけど、ここでいう「うすい」は、単に味付けが弱いという意味ではありません。「濃い」と「津だ」の意味が多少異なるように、この場合も単にうすいのとは違って「うすい」と「まずい」が合体したような意味です。

前述したジャンチグクスもそうだったし、そういえば4年間1回も食べたことが無いので、トッポッキも食べてみました。でも、うすいです。何もかも。味付けがうすいわけではありません。辛いといえば十分辛いです。でも、ジンさがありません。日本で言えば、水と調味料だけで料理を作ったような、そんな感覚です。

なぜ、韓国人は「塩味」という言葉を嫌うのか

繰り返しになりますが、韓国に住んでいたときも、こんなことはありました。いや、それからも、新型コロナ禍になる前までは1年に1回韓国を訪れましたが、そのときにも、こんなことが無かったわけではありません。実際、まわりには、グックやタンに無差別にキムチを入れて食べる人ばかりでした。

今回、1週間の韓国旅行で、何回も連続で「うすすぎる」経験をしたものの、単に「店ガチャ」の運がものすごく、実にものすごく悪かった、そう思うこともできなくはないでしょう。事前に美味しいとされる店、人気のある店を調べたりしたわけでもありません。でも、なぜでしょう、どれだけ肯定的に考えようとしても、今回私が感じた「後グック」の味は、悪い意味で格別でした。そう、いままでは、これほどではありませんでした。こ

れには、たぶん、二つの理由があるでしょう。

一つは、私が日本で各種料理の「ジン」、それが津だろうと真だろうと、韓国語に変換できない言葉だろうと、あえてジンと書くなら、そのジンさに私が染まったこと。それを普通のことだと思ってしまったこと。それは、日本人か韓国人かを離れ、ただ一人の人間として、あまりにも贅沢《ぜいたく》で幸せな勘違いでした。体重が増えるはずです。

韓国人は、「塩味」という言葉を嫌います。これは、苦しかった時代、塩だけでグックの味付けをしていたこともあって、いまでも不味《まず》いグックを「ソグムグック（塩グック）」と言います。そのこともあって、日本で食事をした韓国人は、「日本料理は味付けが強すぎる、特に塩味が強すぎる」と話したりします。でも、それは勘違いです。単に、韓国料理から、津さが失われているからです。

韓国で失われてきた「情誠」

呼び方が、方向性が、社会構造が、歴史が、様々なものが異なるとしても、単に美味しいもの、食べて嬉《うれ》しいものを作るための努力は、どこの国にもあるだろうし、そのゴールには、ある種の類似点があるのかもしれません。長い間、朝鮮半島の人たちが求めてきた津さ。これを深さと呼ぼうが、濃さと呼ぼうが、それとも情誠と呼ぼうが。その津さが、韓国では失われつつあるわけです。

旨辛だったり、コクだったり、また呼び方は異なりますが、似たような考えが、日本ではちゃんとした結果を残し、十分なほど大衆化されている。こう思うのは、私が親日な考えの持ち主だから、でしょうか。

もう一つの理由は、グックは「ジンさ」を減らせば、量をそのままにしても事実上の制作費ダウンになるからです。そう、先も書きましたが、物価のことです。値上がりしなくても全体量が減ったため、事実上の値上げになる、そんな食品、食事メニューもあります。考えたくありませんが、唐揚げ定食から唐揚げを一つ減らせば、店としてはコストダウンになるでしょう。

グックの類《たぐい》の場合は、水増し、言葉通り本物の「水」増しで、材料費を減らすことができます。その分、津さは消えていきますが。個人的に、量が減るのはまだわかるけど、グックが薄くなるのだけは勘弁願いたいところですが、残念ながらそういう動きが露骨になってきたのでしょう。最悪の場合、スプーンでグックの汁をすくって、目で見ても分かります。

韓国ではグックを入れる汁椀のことを「グックグルッ」と言いますが、ご飯を混ぜて

（日本語では「グックをご飯にかける」とよく書きますが、韓国ではご飯をグックに混ぜると言います）食べる人たちが多いからか、日本の汁椀よりは大きく、深いのが特徴です。

また、最新のものはそうでもありませんが、安いものはグックの熱さがそのまま伝わってものすごく熱くなったりします。それに、グック料理は、タン（湯）以外は色そのものが赤いまたは茶色いものが多いため、普通に料理が出てきたときには、グックがうすいとかどうか、そんなことは分かりません。でも、食べてみると分かるし、何より、スプーンですくって見てみると、スープはうすく、人工調味料っぽいものばかり見えます。当たり前ですが、久しぶりに訪問した家族の家で食べた料理には、問題ありませんでした。特に、母の味にもっとも近い姉の手料理は、いつもどおり美味しくいただくことができました。

繰り返しで恐縮ですが、良いか悪いか。好きか嫌いかを別にして、朝鮮半島料理の根幹は、汁を出すことであり、それはマコトを尽くすという意味で、薬とも通じる「情誠」の現れでもありました。少なくとも私はそう思っています。子供の頃、大人たちが、特に母が作る料理は、そんな感じでした。そういうものがここまで消えかかっているのは、実に嘆かわしいことであります。

先も書きましたが、実は最近になって急に始まったことでもなく、少しずつ、もう少し意地悪な書き方をするなら「客にバレないように」、少しずつ「津」を犠牲にしてきたのでしょう。それを、今回の4年間の空白により、強く感じるようになったのでしょう。そう考えると、なおさらです。

第5章

韓国で感じた「閉鎖感」の正体

4年ぶりの韓国は「撮影ブース」のようだった

今回の韓国旅行で特に感じたことは、特有の「閉鎖感」でした。これもまた、いままでも感じなかったわけではありませんが、4年ぶりだからでしょうか。実に強く感じられました。閉鎖感といっても、なんと書けばいいのか、ずいぶん悩みましたが、「撮影ブースの中にいるみたい」という表現を選んでみました。

撮影ブースというものをご存じでしょうか。観光名所においてある、木の板で作った記念撮影スポットがありますし、千葉なのに東京と書いてある某テーマパークではネズミやアヒルと写真を撮る場所がいつも大人気です。そういうのも広い意味では撮影ブースと言えるでしょう。

でも、ここでいう撮影ブースというのは、何の色もないスクリーンで背面や側面を包んだ、「何もない箱の中」のことです。基本的にはシルバーやホワイト色のスクリーンで出来ていて、小さいものは、ネットショップに載せるための商品写真（背景が無いもの）を撮るために使います。撮影ボックスとも言い、自作することもできます。

コスプレイヤー、またはドール好きの人たちがよく利用する「撮影スタジオ」というインフラが日本各地にありますが、その中には、人間サイズの大きなスクリーンを用意しているところもあります。そこで写真を撮って、そのまま使う（背景が無いからキャラが目立つ）か、またはコンピューターグラフィックスで背景を合成する人もいます。背景があるものは、壁に背景布をかけて、その前で撮影したりします。公園などにある簡易フォトスポットの室内バージョンといったところです。

私の場合、ドール写真を撮るときに、背景を変えながら写真を撮ったりします。ここで私が言いたいのは、シルバースクリーンのほうです。

なぜ私が、4年ぶりの韓国を撮影ブースと思ったのか。なぜ閉鎖感を強く受けたのか。いろいろ理由がありますが、特に強く感じたのは、二つ。「空に色が無い」ことと、「会話が機械的になっている」からです。後者の場合は「無愛想《ぶあいそう》に拍車がかかった」とでも言いましょうか。

韓国の空から色が消えた

詳しくは覚えていませんが、約10年前だと想います。夜、散策に出かけましたが、空気が悪過ぎて目が痛くなり、急いで家に戻ったことがあります。あの日のことで、私は「体感的な話ではあるものの、空気汚染が急激に進んでいる」と実感しました。それまでも、もちろん場所にもよるものの、空気や水が不愉快な感じになったこと、夜景写真を撮るとき、街の光が日本とは全然違う（日本のように鮮明に見えない）こと、公園などでも草の香りがしなくなったこと、雨の日に街中に嫌な匂いが充満すること、などなど、似たような経験をしていました。でも、実際に目が痛いとかそんな経験は無かったので、衝撃的でした。ブログなどにも同じ趣旨を何度か書いたので、ブログ読者の方なら覚えておられるかもしれません。

それからしばらくして、韓国でも空気汚染に関するニュースが増えてきました。微細粉塵（ＰＭ10）、超微細粉塵（ＰＭ２・５）などなど。中国から流れてくる空気が問題なのは間違いないものの、半分以上の原因は国内にあるという分析もあって、社会問題となりました。タクシーなどに乗ると、車のナビゲーションにその日の「大気汚染度」がリアルタイムで表示されたりします。

２０２０年3月14日『聯合ニュース』など複数のメディアが報じている内容によると、韓国では、ＷＨＯ（世界保健機関）勧告値の2倍以上のＰＭ２・５に露出されている人が、ＯＥＣＤ（経済協力開発機構）でもっとも多い55・１％に及ぶというデータもあります。このデータだけですべてを理解することはできないでしょうけど、私の感覚が、ある程度は正しかったようです。集計されたデータは２０１７年のものですが、ワースト2はチリ共和国で、それでも42・5%。かなり差がありました。

そのせいでしょうか。主な原因が中国なのか国内なのかは分かりませんが、空に色がありません。灰色でもありません。何というか、灰色に、うっすらと青味がかかった色、グラデーションと呼べるものが全然無いわけではありませんが、まるで単色のスクリーンに見えます。

青さ「だけ」が無いという意味ではありません。韓国で青い空がほとんど見えなくなったことは、日本に来る前からわかっていました。外で洗濯物を干すなど、勇気が要《い》ります。青い空が見られるのは、さすがに全然無いとは言えませんが、1週間に1回でも見られれば、ラッキーなほうでした。

今回私が「色が無い」と感じたのは、青さだけではなく、白さも無かったからです。雲が見えません。だから、雲の白さもありません。濃い灰色の雲も見えません。よく見てみると、うっすらと空に雲が見えないことはありません。「無い」のではなく、「見えない」「目立たない」です。わざと見ようとしないと、空と雲が区別できません。色も無く、すべてが単色に見えます。

滞在3日目でのしかかってきた圧迫感

日本でも、こういう日が無いわけではありません。だから、韓国に着いた日には、こういうものかな、としか思いませんでした。場所によるもの、時期によるもの、または「天気ガチャ」でモノスゴク運が悪かっただけかもしれません。そう思うことにしました。むしろ、天気が良くてラッキーでした。そう、ありがたいことに、今回の韓国旅行の1週間、天気には本当に恵まれて、帰国前日から曇りましたが、それまではずっと晴れて、日差しの強い日々が続きました。

でも、次の日も、その次の日も、晴れていて、日差しも強く、建物や車の影は黒色ではっきり見えるのに、空を見上げてみると、色がありません。雲もありません。よく見ると少し見えるけど、とても「白い」とはいえません。3日目から、さすがにこれは妙な気分だな、と思いました。そう、不思議な感覚です。先も書きましたが、商品写真撮影のため、またはあとで合成編集するために用意された、単色スクリーンの撮影ブース。まさしくその中に入っている……そんな気がします。

後で書きますが、人々の反応、街で聞こえてくる会話が、日本とは比べ物にならないほど無機質で、無愛想で、しかも、日本に比べて、街で花を見かけることがほとんど無いこともあって、三日目から、ものすごい圧迫感が私にのしかかってきました。

この感覚を特に強く覚えたのは、街を歩きながら、高層アパート団地を見上げたときです。さて、韓国に高層アパートが多いのは、有名な話です。できる限りの借金、すなわち家計負債でそのアパートを買うことこそ、韓国人にとって最大の夢であり、「身分上昇」できる唯一の道だとされています。アパート（日本で言うマンション）は、値上がりし続けるに決まっていると信じられているからです。

そのアパート団地、背が高すぎて、高層部を見上げると、それ以外は見えません。隠れて見えないというのもありますが、空気が悪くて遠くまでは見えないというのもあります。すると、青味がかった単色スクリーン（空）と、私のすぐ前にあるアパート高層部。この二つしか視野に入らなくなります。ちょうど「あとで背景を合成するためにスクリーンの前で撮影中」な感じになります。あとでスクリーンに適当な怪獣を合成すれば、怪獣がアパートを壊そうとする特撮映画のシーンになりそうな気もします。

地域によって程度の差はあるものの、これが5日間続いたわけですから……まるで、何かに閉じ込められているような、閉鎖感が半端ありませんでした。幸い、ソウルを離れてもっと地方に行けば行くほど、たとえば親の墓がある公園に行くと、ずいぶん改善されました。

韓国では霊園を「公園墓地」と呼び、街からはかなり離れた場所にあります。ある程度は空に青い色が目立つようになり、雲も普通に視認できるようになります。でも、都市部に戻るとまた単色スクリーン撮影の再開です。ソウルに近くなればさらに悪化。どうしても気になって、ソウルのすぐ近くに住んでいる家族に聞いてみたら、「もう、これが普通。青い空が見える日もあるにはあるけど」とのことでした。

当たり前ではない「晴れた日は空が青い」という贅沢

日本に来てからも、テレビで黄砂関連のニュースが流れた次の日など、「今日は空気が悪いな」と思った日が全然無かったわけではありません。でも、それは一時的なものでした。今回、私が韓国で見た「色の無い空」は、残念ながら、私が韓国にいる間、ずっと続きました。これが日常となると、本当に我慢して慣れるしかないと思うと、ストレスでしかありません。これもまた、食べ物と同じく、私が日本で4年間暮らしたため、贅沢に慣れてしまったのが原因ではないでしょうか。韓国側の、そして中国側の状況が悪化したのもあるでしょう。

でも、4年間、晴れの日は青さ全開になる日本の空に慣れたから、ではないでしょうか。青い空、気持ち良い日差し、洗濯物から感じる太陽の恵み。各地にある大小様々な公園。その前を通るときに漂《ただよ》う、草の匂い。車で1時間行けば普通に接することができる、山の、渓谷の、海の風。様々な形で視野に入ってくれる、花々。そして、当たり前のように存在する、様々な信仰の痕跡。日本で感じられたそれらの心地良さは、韓国にはありませんでした。大きな車道のすぐ近くに様々な商店と一体になっているマンション団地に占領された韓国とは異なり、「住宅街」という概念がまだまだちゃんと生きているからでしょうか。

街を歩いていると、生活感そのものが、日本と韓国とでは天地ほどの差があります。「生まれ育った国」という補正ボーナスを付けて考える人なら評価が違うかもしれませんが、私はそういうつもりはありません。「生まれた」を無視するつもりはありませんが、「暮らす」すなわちいまを生きている感覚について、私に合うものを私が評価するにおいて、補正など必要ありません。好きなほうを好きだと言い切ってしまったほうがすっきりします。

そう、それは「天地の差」でした。今回、韓国旅行で、ずっと撮影ブースかジオラマかに閉じ込められていた気がします。それに、銀行関連の仕事もあって、日本に移住する前に住んでいたところに行ってみましたが、ホテルを含め、知っていた店がいくつもなくなっていて、しかも閉店のまま（新しい店はオープンしていない）でした。そういうこともあって、なんというか、雰囲気というか気持ちというか、それも沈むばかり。その「沈む」が、閉鎖感をさらに強くしました。

何でも「ネェー（はーい）」で済ます無愛想さ

もう一つは、無愛想に拍車がかかったこと。街で、「ありがとうございます」に準ずる表現が聞けたのは、2回か3回だけです。ほぼすべてが「ネェー」です。使い方は異なりますが、日本語に直訳すると「はーい」になります。ただ、はーい、に比べると、敬語としては機能します。どちらかというと、略式敬語表現、とでも言いましょうか。

タメ口ではないけど、丁寧に答えずに、「はい分かりました」という意味を簡易式に伝える表現で、別にこの表現そのものが問題になるわけではありません。しかし、そこまで丁寧な表現とも言えないし、何より、程《ほど》があるでしょう、程が。コンビニで買い物して支払いを終えて私が「ありがとうございました」と礼を言っても、店員は目も合わせないで「ネー」。列車の切符を購入してありがとうございましたと話しても、窓口から聞こえてくる言葉は「ネー」。料理を注文してもネー、料理が出てきたときに礼を言ってもネー、支払い終えたときもネー、ネーネーネー。ネネネのネー。ネット用語で恐縮ですが、率直に「ねーよ」と思いました。

家族のところを訪問したとき、そこそこ高級なレストランで食事をしたことがありますが、そこではちゃんと店員さんも「ありがとうございます」と言いましたが、それ以外でちゃんとしたお礼の表現が聞けたのは、親の墓参りのときに乗ったタクシーだけです。その方、私に「なんでそんなにありがとうって言うのですか（笑）」と尋ねたりしました。皮肉ではなく、本当に不思議そうな顔でした。

日本では圧倒的に「すみません」とよく言いますが、韓国では日常で「すみません」「ごめんなさい」という表現はあまり使わないので、日韓共通で日常的に使って違和感のない表現は「ありがとうございます」です。少なくとも自分の感覚としては。「○○公園墓地まで往復でお願いできますか」「あそこでちょっと止まってくださいませんか」、などなど、そんなときに「ありがとうございます」と言っただけですが。それが不思議だったのでしょうか。

すべて終わって、タクシーから降りるとき、ドライバーの方が「ありがとうございます」とちゃんと言ってくれました。何かが伝染《うつ》った（?・）のでしょうか。ちゃんと笑顔で「ありがとうございました」と言ってくれて、私もすごく嬉しかったです。日本にいたときには、まわりから「ありがとうございます」も「すみません」も、または同じ趣旨の言葉も無数に溢れていて、どちらかというと私が「後追い」をするほうでした。何せ、全然そんな言葉を言うシチュエーションでもないのに、相手の方からそう言ってくれるので、わたしもびっくりして同じ言葉で返します。

伝染ります、というか、映ります。だから映ったまま、私も同じことをします。社会の力です。そんな私から、「ありがとうございます」が誰かに伝染ったと思うと、特に嬉しい気分でした。

「事物尊称」の流行：「コーヒーでいらっしゃいます」

逆に、一部の店では、相変わらず、崩壊しかかった敬語システムが流行っていました。もともと相手に対する文章に尊敬の表現を入れるときには、その「相手」を主体とする部分に尊敬の意を込めます。でも、韓国には、とにかく文章中に尊敬表現を増やせばいいという風潮があります。

あくまで直訳のつもりで、「このカードはダメでおられます（이 카드는 안되십니다、このカードはご利用になれません）」「コーヒーでいらっしゃいます（커피 나오셨습니다、

お客様が注文されたコーヒーです)」など、不自然な敬語表現で、一部のメディアからは「事物尊称」とされています。実は店員さんたちもこれが間違った使い方だとは知っているけど、こう言わないとお客様に「不親切にされた」「真正性が無い(心がこもってない)」などと怒られるため、仕方なくこうしていて、企業側もマニュアルなどでそう指導している、という指摘もあります。

1997年の経済破綻を経て、2000年代になったばかりの頃。韓国ではデパートなどを中心に、「顧客満足」という言葉が急激に流行りました。単にサービス向上のための努力だったと見ることもできますが、私は、当時の社会心理も影響を及ぼしたと思っています。

インターネットと同じく政府政策によりクレジットカードの普及が進み、いまだ続いている家計負債問題の発端が作られた2000年代初頭。経済破綻のつらい記憶からでしょうか、それともカードの使いすぎという自覚があったのでしょうか。店員のことを不親切だと抗議する人が急増しました。このとき、客が何か抗議をすると、会社からリストラされるのは店員のほうです。だから、店員たちはとんでもない心理的な圧迫を感じ、その中である種の処世術としてこの「事物尊称」、とにかく尊称表現を増やして話すようになったわけです。

この事物尊称について、「誰でも『社長様』と呼ぶ現象」と繋がっているとする指摘もあります。日本人だけでなく世界どこの国の人でも、韓国社会をある程度知っている人なら、誰もが一度は不思議に思ったことでしょう。韓国のいろんな店で、理髪店で、飲食店で、男性客を「社長様《サジャンニム》」と呼びます。

1983年12月16日の『東亜日報』は、この現象を「その客は、自分が社長ではないと分かっているけど、それでも格上げされた自分を楽しみたいから、その呼び方を受け入れている」としています。

「社長様が溢れる世の中だ。銭湯でも理髪店でも喫茶店でも、どこに行こうと誰もが社長様と呼ばれる。大衆接客業者の従業員の相手は、誰もがお客様ではなく社長様になっている。もうやっと社員になったばかりの人でも、『私は、社長ではありません』と話す人はそういない。社長という格上げされた称号を求める心理である。どうせならそう呼んでくれというわけだから、善心の良風美俗ともいえるのだろうか」、と。

高度経済成長の中、勝ち組と負け組が明らかに分けられていた頃、あまり高級でない店から「社長様」という不自然な尊称が流行りました。経済破綻の後、デパートから事物尊称が流行りだしたのも、似たような現象ではないでしょうか。なんというか、わけはともかく。

先も書きましたが、表現の幅が狭いのも一つの理由かもしれません。日本語に比べて、韓国語は「尊待（相手への尊敬表現）」と「下待（相手を見下す表現）」を極端に区別します。極端な話、「世界中の聖經（聖書）で、イエスがタメ口で話すのは韓国語版だけだ」とも言われています。イエスは偉いという先入観があったから、イエスの御言葉も、当たり前のように上から目線で翻訳されたのです。

そんなことで、崩れかけている敬語システム。ある店はコーヒーがいらっしゃるというし、ある店はネーネーしか言わないし。いったい何がどうなっているのやら。ただ、個人的に肯定的だと思う部分もありました。それは、「愛しています」という挨拶が消えたことです。一時、韓国ではどこの会社も「お客様、愛しています」「あなたを愛する○○（社名）でございます」と言うのが流行って、率直に「超・気持ち悪い」としか思えず、本当に苦手でした。

でも、今回の韓国旅行で、そういう表現はあまり聞こえませんでした。ブームが過ぎたのでしょうか。不幸中の幸いです。いまさらですが、会社から何らかの指示があって、知らない人に愛していますと挨拶をしていたなら、それは、女性職員の方々には特にストレスになっていたのではないでしょうか。いろんな意味で耳にしなくてよかったと思いました。

「人を楽にしてくれる」日本

こうしたこともまた、私の閉鎖感というか、ストレスというか、そんな感覚を強くしました。基準が何なのか。基準を守らないから基準が分散されるのか、基準が曖昧《あいまい》だから守らないのか。何かを買おうと店に並ぶ際、どこに並べばいいのか分からない、並んでいても別の列ができてしまう、そんな感じでした。

この閉鎖感（のようなストレス）、日本にいるときにはほとんど感じませんでした。私は、本やブログなどで、このようなストレスを感じないことを、「楽」と表現しています。だから、日本を「人を楽にしてくれる国」だと思っています。仕事などが楽という意味ではありません。守るべき基準がハッキリしていて、それを守れば相応の自由が手に入ること。

その開放感は、ルールという制限があるからこそ感じられるものであり、ルールが崩壊したから感じられるものではありません。これは社会という広い範囲から、行政・金融機関、一つの店など狭い範囲にも言えることで、あまり壮大な書き方をしなくても、生活の中でいくらでも体験できます。

第6章

韓国人の「遵法《じゅんぽう》精神」

韓国領事館での出来事

今回、帰化前、帰化後の手続きのため、日本にあるいくつかの行政機関を訪れました。全般的にとてもスムーズに手続きが進みました。事前にメールや電話で問い合わせたり、ネットで調べたりして、「用意すべき書類」がすぐに分かったからです。そして、それらの書類を用意すれば、難なく手続きが進みました。待ち時間が多いときもあったものの、それは人が混んでいたからであり、別に重いストレスを感じることもありませんでした。もともと、そういうところに必要以上の和気あいあいの雰囲気を期待していたわけでもありませんので。

ただ、その中で一カ所だけ、ずば抜けて異質な存在がありました。韓国領事館です。以下、自分でも書きながら気をつけますが、領事館の方々が仕事ができないとか、無能だとか、そんな話ではありませんし、そんな話をする意図もまったくありませんので、その点だけは誤解が無きよう、お願いします。

領事館に訪れた多くの人たちが、韓国語（国籍までは分かりませんが）で、「なぜこんなに無愛想なのか」「なぜ事前に教えてくれなかったのか」と話していました。率直に、そういう機関でそんな話を耳にするのも、日本に来てからは珍しいことでした。日本の場合、もし手続き上で何か不満があっても、それをわざわざ口にする人はそういませんから。韓国人の場合、誰かが聞いているわけでもないのに、ほぼ間違いなく、声を出して不満を言います。そういうこともあって、なんというか、非常に気まずい雰囲気でした。

無愛想さといえば、それは、ま、日本の各機関に比べれば、確実に無愛想です。今回、帰化、およびその後の手続き、そして海外資産搬出（韓国の預金を日本に送金すること）関連で、いろいろと情報をチェックしましたが、各分野の専門家が運用しているホームページのいくつかに、「専門家に任せれば、無愛想な韓国大使館・領事館にご自分で行かないで済みます」というアピールがあって、失礼ながらちょっと笑ってしまいました。結果的にそれは私に必要な書類ではなかったですが、「こういうのも専門家のアピールになるのか。それは確かにそうかも」と思いました。

たしかに、無愛想です。しかも、職員の全員が、日本語がうまいわけでもありません。いつだったか、私を韓国語が話せない人だと思ったのか、窓口に助っ人で入ってきた方が「アナッタ―、のぉナマエわぁ（あなたの名前は）～」と言われて、びっくりして「あ、いいえ、韓国語で結構です」と言ったりしました。特に「タ」の発音が想像以上に強く、いまは良い（？）思い出です。そう、確かに、無愛想です。はい。でも、これ、先も書きましたが決して仕事ができないという意味ではないし、それに、私は、これが「日頃、そう対応するしかないせい」だと思っています。

ひどい話ですが、こう対応しないと、仕事が進みません。どういうことかというと、優しく接して具体的に話を聞こうとすればするほど、相手は無茶を言ってきます。それでも優しく接するのが公務員の責務だ、というなら、そういう見方もできるかもしれませんが、その「接する相手（領事館を訪れる人たち）」に、全員ではないにせよ一定割合の人たちが、準備すべき書類とは別のものを持ってきて、「これも同じなのになぜダメだというのか」と言いながら仕事を止めるなら、それでも一日中優しく接しないといけないのでしょうか。

呆《あき》れかえる「割り込む」「押し通す」韓国人

帰化に必要な書類を用意する過程で、私も（本人でないと用意できない書類もあります）領事館を何度も訪れましたし、一度用意した書類が実は違っていて、同じ目的で2回訪れたりもしました。その際に感じたのが、どうしてこうも「割り込み」が多いのか、どうしてこうも「別の書類で押し通す」人が多いのか、という点でした。

列に並んでいるときに割り込むという意味ではありません。窓口に直接「ちょっとだけ」と言いながら、割り込んできます。そして、窓口の方がそれにちゃんと答えない、または多少嫌な顔で「いま順番の方と話しているではありませんか」と返すと、その割り込んだ人は、ほぼ間違いなく、「聞く人もいないのに声を出して長々と不満を説明しながら」出口に向かいます。

別の書類を用意してきた人は、「この書類だと言ったじゃないか（たぶん、領事館側は言ってない）」「私がこの書類のためにどれだけ苦労したのかわかっているのか」が定番セリフです。日数の問題で長引く人（数日はかかる書類なのに、2～3日前に申し込んで「早くしてくれ」と長々と事情を説明する）は、それでもまだマシです。

そういう、強《し》いて言うなら「迷惑客」は、日本にもいるでしょうし、どこの国にも一定数はいるでしょう。でも、色のない空と同じです。そういうケースが多くなればなるほど、「一般的」とされる概念、すなわち機関の対応も変わります。無愛想は、その対応の果てに自然的に生まれた、ある種のノウハウではないでしょうか。

もちろん、機関のほうで間違った書類を教えた可能性もあります。私も、日本に移住する際、金融機関のミスで、必要もない書類を取るために外交部まで行ってきたことがあります。あのときの外交部の無愛想はまさしく特筆もので、ある意味、人間社会の無愛想を極めた空間でした。

昔、韓国でも大人気だった日本のアニメ「世界名作劇場」シリーズで、厳しい性格の「院長先生キャラ」がいましたが、全員がそんな感じでした。うろ覚えですが『小公女セーラ』にいた気がします。そんなことがあったので、機関側、この場合は領事館が何かを間違えた可能性もあります。でも、データは無く、個人的な感覚の話ですが、領事館の無愛想は、「処世術」にしか見えませんでした。

「無愛想」な対応に納得

もっともびっくりしたのが、「自分で翻訳してはいけません」と言われたときです。自分関連書類なのに、自分で翻訳しない、といけません、ではありません。「してはいけません」です。

どういうことかと言いますと、外国語でできた書類、たとえば韓国で出来ている韓国側の書類の場合、それを日本側に提出する際には、日本語訳を用意します。帰化に必要な書類の場合は、領事館で自分で取らないといけない書類、たとえば家族関係を証明する書類などの場合、韓国語でできているので、ワードプログラムなどで、日本語訳を用意します。

これは別に誰がやってもいいですが、公的書類なだけに、訳者にも相応の責任があり、訳者が誰なのかその連絡先などを記入する必要があります。私の場合は自分で出来ました。

帰化後、今度は逆に、日本の戸籍謄本と住民票を韓国語に訳して、それを韓国領事館に提出しました。「国籍喪失」のため、私が日本の本籍に登録されているという事実を示す必要があるからです。今回はもう少しわかりやすくするため、オリジナルのコピーをパソコンに取り入れて、画像編集ソフトで、日本語写本の各項目を、目立つ色の韓国語で上書きしました。各項目の「欄」がそのままなので、このほうが見やすいと思います。結果、領事館のほうからも翻訳はこれでいいけど、「自分で翻訳したのはダメだ」と言われました。

帰化の際に日本側に提出した書類ではそんな話が無かったので、ちょっと驚きました。領事館の方曰《いわ》く、理由は簡単で、「自分勝手に訳す人が多すぎて、韓国政府（外交部、法務部）から自分での翻訳は受け入れないようにと、何度も要請が来ている」とのことです。私のことを気にしてくれたようで、こういう事情があって、こちらからも受け付けることができない、というニュアンスでした。

結果、他に韓国語ができる方にお願いして翻訳騒ぎはなんとかなりましたが、このとき、確信しました。「大変だな、これは」と。先も書きましたが、領事館で働いているからといって全員が日本語がうまいわけではありません。訳を要する書類には一般的に使わない単語も結構あるので、アナッター星人（?）では、訳がどうなのかまで判断することはできません。こんな状態がずっと続くと、「愛想ある」対応の必要性を感じなくなるのではないか。これが無愛想な対応の原因ではないのか。私はそう思いました。

金融機関での出来事

今回、韓国旅行の金融機関でも、同じことがありました。ここからは銀行関連の話となります。個人的に、今回の旅行でもっとも緊張した部分でもあります。何かの理由でうまくいかないと、また飛行機に乗らないといけませんので。ちょうど本稿を書いている2023年春〜初夏、関連法律を改正するという話もあるので、ひょっとすると本書が書店に並ぶときには細かい内容は変わっているかもしれませんので、もし、読者の方々の中に、私と似たような境遇で韓国内の資産を日本に送金する必要がある方は、かならず関連法律を確認し、韓国内の銀行、および税務士（セムサ）などとご相談ください。改正の流れは、大まかに、海外に住む人にとって有利な方向（限度額の拡大など）だと聞いております。

国籍が変わった人が外国に資産を搬出するときには、中央銀行を介する必要はありません。国籍が変わっていない人でも、長い間外国に住み、韓国で経済活動をしなかった人なら、10万ドル以上の金額を海外に搬出することは可能です。しかし、その場合は中央銀行を介することになります。ただ、どちらにせよ、その人が住んでいた地域の税務署から「この人は、韓国にいたとき、いま搬出しようとしている金額に相応する分の税金をちゃんと払っていました」という審査、許可を得る必要があります。この書類を「資金出処確認書」と言います。

私の場合は預金だけですが、不動産販売代金などは契約書も提出しないといけません。銀行も、自分で外国為替関連業務を任せる銀行を指定する必要があるため、結局は自分で住んでいた地域に行くしかありません。

韓国では「税務士」という呼び方が一般的ですが、韓国の税理士さんにお願いして、書類は代行で発給済みでした。銀行の方と事前に連絡して必要な書類はすべて用意していました。日本で「帰化を証明するもっとも公的な書面」は、戸籍謄本です。本籍（帰化したので日本になっている）、帰化の時期、帰化した際の国籍（前の国籍）などがすべて書かれています。私は、オリジナルと、写本（韓国語に翻訳済み）も一緒に用意しました。そうやっていろいろ資料を用意して、韓国で私が住んでいた地域の、私の取り引き銀行に行って、資産搬出に成功しました。

その際、銀行の窓口の方から直接聞いた話ですが、「これ（資産搬出関連）が1回ですんなり出来たのは初めて」、とのことです。理由は、関連書類です。さすがに詳しく聞いたわけではありませんが、必要な書類を話しても、それをちゃんと用意してくる人がいない、というのです。必要な書類を事前に話しても、別のものを持ってきて「これも同じだからいいでしょう」とする人が多い……となると、領事館で私が見た風景と完全に一致します。

私の心が曇っているだけかもしれませんが、先の領事館（など）韓国関連機関で感じた無愛想さは、やはり「相手側」の問題ではないでしょうか。それ「だけ」だと言い切ることもできませんが、さすがに同情せずにはいられません。お疲れ様でした。

韓国に根付いた「官尊民卑」という考え方

他に韓国で感じたいくつかの些細《ささい》なことを書いてみますと、ソウル駅を含めて一部の駅など施設で、意外なほど「決済」が不便でした。韓国はカード社会だから決済は問題ないだろうと思っていましたが、一部の駅などで、乗車券発売機で「海外カード」が使える端末が限られていて、ちょっと困りました。しかもカード専用に改造されていて、現金は入れるところが鉄板で封じられていました。すなわち、外国人は海外カード用、または現金が使える発売機を見つけるか（数は少なめですが）、窓口に並ぶしかありませんが、結構人が多いのに窓口もほとんど閉まっていました。

韓国は、こういうものに関してはかなり開放的なインフラでしたが、今回、かなりやりづらくなっていました。外国カード関連で、何かあったのだろうかと思いましたが、詳細は分かりません。日本語を使う人たちは、ほとんどが窓口に長い列を作っていました。

あと、これは「やはり」といったところですが、「線」を守らない人が多かったです。人も、車も、何もかもそうでした。「ウリ」関連でも、自分の領域ではない領域に入ろうとする風潮について書きましたが、その現れの一つだと言えるでしょう。韓国では、車が停止線をちゃんと守らず、横断歩道直前まで入ってしまうことが多いですが、今回も何も変わっていませんでした。

まず、これは、何か悪意があるからではありません。線を守るという概念について、抵抗感が無いからです。さすがに学校で「線を守るな」と教えたりはしません。でも、間接的に受ける教育、子供が毎日のように「自分の目で見る」教育の結果です。学校でいくら線を守れと教えても、学校の外でそういう大人を見るなら、誰も線を守る必要性を感じなくなるでしょう。

もう一つ、これは大人の話だと信じたいところですが、韓国では他人が作った法を守ることを、「従うこと」、弱い人がするものだとする考え方があります。もともと韓国では、「官尊民卑」といって、法律は権力を持つ人間が自分勝手に操るものだという考えが強く根付いています。だから、法律に違反するものでも、大衆が望むなら、そのほうが「上位」にあるべきだ、と考えます。

特に、権力者たちに向ける大衆の怒りは、法律に反していてもかまわない、どうせその法律は権力者が自分に有利に作ったものだから、という「理解」が先行してしまいます。ちゃんと法を守ることを、権力者への「阿付（アブ、おもねること）」だとする認識もあります。そういう経緯で、「官尊民卑」を、（もともとは法を守らなくていいという意味ではないのに）法を守らなくていいとする言い訳、社会的理解の意味として使う場合もあります。

これもまた同じく、学校でこういう内容を教えているわけではありません。でも、こういうのが「一般的」になっています。車が停止線をちゃんと守らないのも、そういう心理の現れではないだろうかと、私は思っています。

韓国がG8になれないのは日本のせい

そういえば、ちょうど私が韓国旅行から日本に帰ってきたすぐ後に、広島でＧ７サミットがありました。本書とは関係ないことですが、私は思った以上の実績を残した、日本にとって素晴らしいサミットだったと評価しています。岸田総理の外交については、特に対韓外交においては、率直に不安が多いですが、こういう全体的な外交においては、さすがは外交専門家出身といったところでしょうか。かなり良い感じです。

Ｇ７首脳が原爆資料館を訪れて慰霊碑に献花したことが特に話題ですが、一時はアメリカの債権限度額問題で、Ｇ７サミットに参加しないのではないかと思われていたバイデン大統領がちゃんと参加して、クアッド首脳会議もＧ７で行ったこと。一貫した核心議題。ゼレンスキー大統領が来日したこともそうですし、ジル・バイデン女史が広島の平和を象徴する「折り鶴」ブローチを付けていたこと、イギリスのスナク首相が広島カープの赤い靴下を履《は》いてきたという「小さな（しかし決して小さくない）」話題まで、いろいろと「良い会議になっていてよかった」と思える、そんな展開でした。個人的に、これから日本という国の国際的役割は、権利も責任もパワーアップすると見ているので、なおさらです。

さて、なぜ急にＧ７の話が出たのかと言いますと。韓国側のメディアの主な反応は、「韓国はＧ８（一時ロシアがいたポジションに韓国が入る、またはＧ７加入国を拡大して韓国も入る）になれる」というものでした。

前政権では韓国を「実質的G8」としていましたが、いまの尹錫悦《ユンソンニョル》政権では、「心理的G8」と表現しています。結構本気で、韓国の朴振《パクジン》外務大臣が、G7各国大使を集めて、「G8のために」と乾杯したりしました。しかも、まだ韓国がG8になれない理由は、「米国は賛成しているけど、日本が、アジア唯一のG7という自尊心を守るために、韓国の加入に反対しているからだ」というのが定説になっています。

大手新聞『中央日報』を傘下に持つ中央ホールディングスのホン・ソクヒョン会長が、岸田総理と対談して、このことを岸田総理に直接聞いたこともあります（2023年5月11日、関連記事掲載5月15日）。岸田総理は、それは事実ではないとし、そもそも、G7加入国拡大についての議論そのものが無かった、と答えました。同じく、関連議論が無いというのは、米国側からも確認されているし、実際、広島G7サミットでそのような議論は一切ありませんでした。

それでも、ちょうどその頃、日韓首脳会談が開かれ、両国首脳が相互訪問するなど、関係改善ムードになっていました。だから、韓国では「日本ももう反対しないだろうから、韓国のG8加入は可能性が高い」という予測を一斉に出しました。もちろん、一部、「国際社会への貢献など様々な側面で、まだ韓国はそこまで成長していない」と指摘するメディアもありましたし、「政権の『旗色』によって、民主主義を代表するG7にふさわしくない外交政策を展開することがある」という客観的な分析もありました。

でも、多くのメディアはG8になれる、韓国にはそんな資格があるという内容を競争的に取り上げ、褒め称えました。この「心理的G8」騒ぎはかなり話題になり、尹大統領の支持率にも肯定的に作用しました。

「G8になれば、規則に従う側から、作る側になれる」

当時、日本側のメディアはG7首脳が原爆記念館に献花したことなどを集中的に取り上げましたが、韓国ではメインはG8でした。しかも、韓国には「原爆は天罰」とする歪《ゆが》んだ信念があるから、ほとんどのメディアは献花した事実だけを短く伝え、中には「日本はバイデン大統領が謝罪するように仕掛けたが、バイデン大統領は謝罪しなかった」と、まるで日本の何かの試みが失敗に終わったとするような、そんな趣旨の報道も目立ちました。

もともと日本と韓国のメディア報道にはかなりの溝がありますが、G7サミット期間中はその温度差がとんでもなく広がっていました。でも、繰り返しになりますがG7でそのような議論は無く、ケーブルテレビ局「CBSノーカットニュース」は「日本と米国、(※韓国からもらうものだけもらって)食い逃げしたか」というタイトルの記事を載せたりしました。

さて、ちょうど韓国から帰ってきてブログ更新を再開した直後ということもあって、「心理的G8」関連記事はかなりの数を読んでみましたが、「で、G7(G8)になったら、何をするのか、何がしたいのか」については、何も書かれていませんでした。位相(地位)がどうとか、さらに国力が上がるとか、投資されやすくなるとか、そんな内容はありますけど、どれも蛇足のようなもので、一行にもならない分量だけ。

そんな中、とても率直に書いた記事があります。5月19日の『毎日経済』ですが、そこにはこうなっています。「G8になれば、規則に従う側から、規則を作る側になれる」。そう、これでしょう。官尊民卑と書いていないだけで、これです。韓国で生まれ育ちながら見て聞いた経験のすべてをかけてもいいです。これです。ちょっと引用してみます。


〈……尹大統領は今回の首脳会議でG7が韓国を含むG8に拡大するきっかけを設ける必要がある。G8になると、世界政治・経済秩序を構築する政策決定に参加できる。他人が作った規則と秩序にしたがう立場から抜け出すことになるのだ。規則を定める国に、上がるのだ。特に、これまでG7財務長官会議は、グローバル経済危機のたびに解決策を模索する議論の場となった。正式加盟国になると、経済危機対応能力を高めることができる。

国家信頼度が高まり、外国投資誘致も容易になるだろう……もちろん、正式加入は容易ではない。全会一致の同意を得なければならないが、まず日本が賛成するかどうか疑問だ。日本との関係が改善されているのは幸いだ。尹大統領は米国・日本・英国首脳と会う予定というが、これらの国の同意を得るチャンスとして活用しなければならない……〉

「遵法精神」が弱い韓国人

この「ルールを守る側から、作る側になる」というのは、韓国では他にも各分野で使われるフレーズです。そう、規則を守るのは、「力が無いから」、または「その規則を作った権力者におもねるため」、韓国社会には、そんな考えが広く、そして深く根付いています。

全員が何かの規則を破ろうとしているわけではありませんが、「守らないと」という認識が弱く、守らないことに対する拒否感がほとんどありません。それが、社会各分野で、物理的にも精神的にも、「線を守らない」という行動で現れるわけです。

さらに頭の痛いことに、韓国では、こういうことを「韓国人に変えられないものはない」「韓国人こそ民主主義に向いている」とし、崇高なものとする主張が説得力を得ています。一時は各メディアからも「遵法精神が弱い」として指摘されましたし、最近も「なぜ規則をもっと重要視しないのか」という問題提起を試みるメディアもあります。でも、大して効果が無く、朴槿恵《パククネ》大統領を「数の暴力」で弾劾《だんがい》させてからは、さらに強くなりました。

「官尊民卑だから規則は権力者だけのものである」。この考えは、保守派もそうですが、特に左派（リベラル派）に強いのが特徴で、これは、左派が負け組だった軍事政権時代（決まった定義はありませんが大まかに盧泰愚《ノテウ》政権の1993年まで）、違法的なデモ活動を合理化するためにこのような思想を広げたという分析もあります。実際、左派は労働組合など市民団体と仲がよく、左派の人が大統領になると、警察さえも市民団体の違法デモにしっかり対応できなくなります。

新都市で目立った「閉業した店」の異様

他にもう一つだけ書き加えますと、ちょっと閉業した店の中に、妙な形のものが多く、気になりました。妙な形とは、まず、必要以上に鎖やロープ、テープなどで出入り禁止状態にした店が多いこと。大きな建物なら分からなくもないですが、建物の1階にある店でもそんな状態のものが多く、場合によっては人道までハミ出ていて、歩行の邪魔でした。

これは地域にもよります。今回の旅行、全般的に閉業した店を多く目にしましたが、このようなケースは、首都圏の新都市で特に目立ちました。それに、これといって張り紙が目につきません。

韓国も日本と同じく、店が閉業するときには「いままでありがとうございました」とか、少なくとも「~日付で店を閉めることになりました」という張り紙を貼っておきます。日本に比べて軽いニュアンスの、「すみません、調子に乗りすぎで潰れましたｗｗｗ」とか、そんな感じのものも結構多いです。

そして、建物の大家は新しいテナントを募集するために、募集告知の張り紙を自分の携帯番号とともに貼っておきます。こうした張り紙は、韓国の日常風景です。なのに、今回は、閉業告知も、テナント募集の張り紙も無い店が多く、しかもまるでポリスラインのように封印されているところも多くて、不気味《ぶきみ》な感じでした。

一つ考えられるのは、その店（店をやるための資金などで）に関して、お金のトラブルが発生したことです。店主が必要な手続きを何もせず逃げてしまった、またはお金を貸した側の人たちと争いになって、あんな形になってしまったのでしょう。

これまでも韓国で似たような店を見なかったわけではありませんが、今回は特に多かったので、気になりました。単なる「空きテナント」問題とはまた別に、世界最高とされる家計債務とか、自営業債務とか、そういうものをブログの子テーマとして追っていたので、なおさらです。

急速に上昇した「火葬率」

また、親の墓がある公園墓地とは別に、お参りのために納骨堂を訪れましたので、そこでも感じたことを簡単に書いて、そろそろ韓国旅行の話も終わりにしたいと思います。日本の場合、火葬が99％を超えると言われています。それほどではありませんが、韓国も最近は火葬率が急速に上がって、２０２０年時点で約90％が火葬です。これまた、私としてもジェネレーションギャップを感じる話です。

韓国では、もともと土葬が一般的で、火葬は極めて一部の葬式だけ、行われました。私が親の死を経験したのは、大学生だった頃、１９９０年代ですが、あの頃は、火葬はほとんどありませんでした。本稿を書きながら調べてみたら、当時の火葬比率は2割にもならなかった、とのことです。事情はいろいろあるでしょうけど、親の墓をちゃんと用意出来ない貧しい人（火葬してそのまま「散骨」する）、または、事故などによる死の場合に限って、火葬をしていただけです。

かなり古い風習ですが、朝鮮は儒教思想が強かったので土葬が基本でしたけど、若くして亡くなった方、または不幸な事故で亡くなった方の場合、それらを「悪喪《アクサン》」とも言いますが、良からぬものを燃やすという趣旨で、火葬する、というか「しないといけない」という考え方がありました。その影響です。

ですが、逆に、高麗《コリョ》時代など、朝鮮半島に仏教が伝来、その影響力も強くなった時代には、火葬が一般的だったという研究もあります。日本もそうですが仏教は火葬メインで、もともと火葬は仏教由来のものだと言われています。諸説ありですが、仏教では亡くなった方の肉体が「次の生」に必要なものではないと思っていた（輪廻《りんね》するとしても別の肉体で生まれる）からだ、という話もありますし、火葬が「良い意味での浄化」を意味していたから、という主張もあります。

余談ですが、いまではキリスト教でも別に火葬か土葬かにこだわらなくなったと聞きますが、昔のキリスト教は火葬の炎に「地獄」のイメージがあったこと、また、人の「復活」を、肉体も一緒に蘇るものだと思っていたことなどで、土葬が主流でした。いまだアメリカなどでは、土葬文化が強く残っています。

でも、個人的に、地獄の炎というのも復活で蘇るというのも比喩にすぎず、もっと霊的な意味だろうと思っています。特に後者の場合は、旧約聖書で代表的な悪役として登場するエジプトのファラオと考え方が似ていて、矛盾を感じます……が、これが「元」キリスト教徒だった私の信仰観（地獄も復活ももっと霊的な意味である）の問題であり、昔に何かの理由があって何かの文化が残っていることに、いまさら不満を提起するつもりはありません。

「共同墓地（土葬）」の設置期間は30年間まで

三国時代までは土葬が一般的で、高麗時代あたりから火葬がメインになった朝鮮半島ですが、また土葬になったのは、朝鮮時代、儒教思想が国策として普及してからです。そして、併合時代には、朝鮮半島に再び火葬文化が入ってきました。ただし、奨励されていたものの、それほど採用されることはなかったようです。

当時、日本は朝鮮半島で火葬を奨励しており、1925年4月17日『東亜日報』など1920年代の各新聞には「火葬制度を奨励」という記事を簡単に見つけることができます。ただし、「火葬を奨励しているが、もともと火葬を嫌っていた私たちの土葬文化をそう急に変えることはできないので、共同墓地をもっと増設すべきだ」（1925年8月29日／『朝鮮日報』）とする主張も目立ちます。

戦後、しばらくは土葬文化が強く、1990年代でも火葬率は2割になりませんでした。しかし、まず墓地確保が難しくなりましたし、世帯人数の減少、及び「親の面倒（たとえ死後だとしても）は子が見るものだ」とする精神が弱化したことで親の墓の維持管理が難しくなったこと、関連費用の問題、および法律の改正などが複合的に作用し、韓国でもどんどん火葬文化が広がりました。

法律の中でも特に印象的なのが、「墓は30年まで」という法律です。「葬式などに関する法律」によると、国立墓地など特殊なものを除き、共同墓地（土葬）の場合、その墓の設置期間は30年間までと制限されます。1回だけ延長して60年まで可能ですが、それ以上は延長できません。30年が経ってから、無縁故、すなわち墓について相談できる人と連絡ができなかった場合、その墓地の管理者が墓を撤去、遺骨は火葬します。

もともとは私有地にも適用される法律ですが、罰則が定められていないので、事実上、共同墓地だけに適用されるのが実情です。ただ、ほとんどの人は共同墓地を利用しているので、「それなら、最初から火葬したほうがいいのでは」という考えが広がる一つのきっかけになりました。

そうやって、火葬文化はやっと広がり、2020年には約90％が火葬になっています。その分、納骨堂も増えました。先も親の墓がある「公園墓地」は街からかなり離れた場所にあると書きましたが、同じく納骨堂も、街から遠く離れた場所にあります。今回私が訪れたのも、そういう納骨堂の一つです。どうやら増設を計画しているようで、住民たちが設置した反対の横断幕が目立ちました。日本とは違い、韓国は横断幕や垂れ幕がものすごく多い国です。中には敵対勢力にひどいことを書いたものが多く、よくもこんなものが設置できたな、と驚かされます。

見ていて落ち着かない派手派手な納骨堂

さて、納骨堂に入ってみましたが……売店の人が無愛想（ここもか、と思いました）すぎる点以外は、普通に立派な施設でした。ですが、どうも私が日本で見た納骨堂とはイメージがズレていて、ちょっとびっくりしました。納骨堂にもよるし人にもよるでしょうけど、納骨堂の納骨スペースにミニチュアがいっぱい入っていました。本書、各所に失礼な表現が多く、ここは我ながら特に失礼だと思いますが、日本で言う「ペット納骨堂」とそっくりです。決して見下す意味で書いているのではありませんので、この点だけは分かってください。見たこと無いという方は、グーグル画像検索などで「ペット納骨堂」を検索してみてください。

ミニチュアというのは、ミニサイズの「ジェサッサン」のことです。細長い座式テーブルに、食品サンプルのようなミニチュア（ミニアーチャ）の料理がいっぱい付着されています。ジェサッサンは祭祀を捧げるためにサン（座式の机）の上に各種料理を並べた状態を意味する言葉です。日本でよくみる食品サンプルの劣化版……というか、納骨スペースに入れっぱなしにするので、サイズが小さく、そこまで精密に作ることができない、そんなものですが、価格は安いものが5千円から1万円くらいでした。

個人的に、どこのドールハウスだこれは……と、ちょっと快く受け入れることができませんでしたが、食べ物をいっぱい用意する伝統風習もあるし、本物を入れることはできないから、「せめて」こういうものでも入れっぱなしにするのかな、と理解することはできました。

そう、これもまた、時代の流れに応じた文化だ、と思うことにしました。なんというか、他にも、写真とか、各種オブジェ（作り物の花とか）が納骨スペースぎりぎりまでいっぱい入っていて、なんとしても派手で「亡くなった人が寂しくないように」する雰囲気を作ろうとしている、そんなイメージがありました。入れるなら、その人の信仰に関するもの、たとえば十字架とか位牌《はい》とか仏壇（日本とは違い、韓国では家庭に仏壇を置くことはほとんど無く、小さな仏像付きのものを納骨スペースに入れたりします）とか、他に、納骨堂側から許可が得られるなら、故人が特に大事にしていたものとか、そういうものを入れるなら分かりますけど、ここまでギリギリ入れるのはどうかな、と。

こうしたこともまた、日韓の差でありましょう。繰り返しになりますが、こういうものに上下を付けたいとは思いません。ただ、いまでも、もしそこにいるのが私の霊なら、私はもう少し「静かで落ち着いた」雰囲気を望むだろう、と思っています。

第7章

日韓の「架け橋」にはならない

日韓は「構造的」に仲良くなれない

こうして、韓国旅行も終わり、旅程最後の日に一緒にいた家族に別れを告げ、再び金浦《キンポ》空港に向かいました。空は曇っていて、いっそのことこのほうが自然な空に見える、と思いました。

金浦空港出国ゲート。韓国に住んでいた頃には、ここまで来ると「日本に行くぞ」と喜んでいましたが、今回は「日本に帰るぞ」と喜ぶ自分がいました。家族ともちゃんと会えたし、その気になればまたいつでも会えるし、これといって思うところはありませんでした。

さすがにこの部分は、自分のことながら、ちょっと驚きです。普通は一応、故郷だから「また来よう」とか思うものでしょうが、率直に言って「家族と会って話せたのはいいけど、それ以外だと仕事（銀行関連など）をしに来ただけで、もう仕事が終わったからやっと帰れる」という気持ちしかありませんでした。

家族と会ったことは嬉しいですが、韓国という土地、というか、なんと言えばいいでしょうか。集団、または社会。その中に入るのは、率直に迷惑な話です。1週間は長すぎるとも思いました。次回はここまで一気に全国をまわる（笑）必要もないし、3日でいいのではないだろうか、と。あとは、少しでも早く帰って、いつもの店で、焼き鳥と日本酒「八海山」をいただきたい。それだけでした。

この感覚は、肯定的なものなのかどうか、自分でも自信がありません。普通、生まれ育ったところに帰ってきて、そこで1週間とどまったのに、その最後の日に「やったー」との解放感が味わえるなんて、これは果たして「良いもの」でしょうか。良いものなら他の人にも勧めたくなるはずですが、そうではありません。どこの国の人間だろうと、やはりこういうときは「やはり故郷っていいな。また来たいな」と思ってほしいところです。私が変わっているのだろう、「私が変わっているだけ」のほうがいい、と思いました。

でも、本稿を書きながら、あのとき金浦空港国際線出国ゲートを見上げた（国際線ターミナルに入ってすぐ2階に見えます）感覚を思い起こしてみましたが、やはり解放感のほうが圧倒的に強かった、というかそれ以外無かった、というのが率直な感想です。自分で自分のことを原稿に書きながら嘘つく必要もないでしょう。率直に、そう思いました。

内容的に前著となる『日本人を日本人たらしめているものは何か』（扶桑社）にも同じ趣旨を書きましたが、私は別に「日本と韓国の架け橋になる」とか、「両国のために」何かをするとか、そんなことは考えていません。正しくは、考える必要性が感じられません。

日韓両国に何かの縁、または円に関わる人たちが、そんな類のフレーズを、何かの決まりごとのように口にします。両国のために、架け橋になる、などなど。もちろん純粋に善意で話す人もいるでしょうし、世の中をそこまで否定的に考えたくはありません。でも、私はそんなつもりはありませんし、それが大して必要なことだとも思っていません。

韓国と日本は、国家レベルでは仲良くなれない国です。言うなれば、日本（または韓国）が「日本（または韓国）と別のもの」にならないかぎり、仲良くできない構造になっています。韓国は国家アイデンティティーを急造しすぎたため、併合時代からの「独立」に重さを置きすぎました。それは独立運動をしていた活動化たちが、揃いもそろって併合反対派だったことが大きな理由です。彼らは、併合に反対する何よりの理由として、自民族優越主義を主張していました。最近の韓国では定説となっている「半万年の歴史」「昔は韓国民族が広大な帝国を作っていた」などの、考古学的根拠の乏しい設定が、そのときに作られました。

そして、朱子学を崇拝する朝鮮の既得権勢力であった儒林《ユリム》（儒学者）たちが、自分たちだけの中華思想の再現のために、民族主義を必要としたことも理由です。彼らは、自分たちの理想郷だった朝鮮、儒教思想の歪んだ適用により、いくらでも「下」の人たちから搾取可能なあの天国のような朝鮮を、必死に守ろうとしました。しかし、朝鮮は併合されました。

儒学者たちにとって西洋人は許せない野蛮人であり、日本はその傀儡《かいらい》でした。彼らは義兵を起こし、同じく日本と戦おうとする人たちに資金を出しました。常識的に、お金が無いと武装独立運動などできるはずがないでしょう。そして、当時の朝鮮でそれほどの資金を持っていたのは、儒学者たちだけでした。

日本を「民族」の敵とする

戦後、彼らは、朱子学もどきで、「首領」という新しい皇帝のもと、自分たちなりの中華思想を展開しました。この考え方が、いまの北朝鮮の「主体思想《チュチェ》」の元になったという見方もあります。韓国の一部の保守系学者たちが、北朝鮮を「儒林の儒教観によって再現された理想郷のようなもの」としているのも、そのためです。

もともと共産主義は民族という存在を認めませんが、北朝鮮は朝鮮半島という領域内での「中華」、すなわちもっとも中心の存在だけが絶対的に素晴らしいとする考えを展開するため、言い換えれば西洋人や日本人などという「野蛮人」によって自分たちの世界が破壊されるのを二度と許さないため、民族という「範囲設定」を必要としました。

それはとても便利なものでした。何せ、民族となると、強制加入（生まれた時点で決まる）ですから。儒教とは関係ない独立運動家たちも、結局は資金源の彼らとは仲がよく、戦後、多くの独立運動家たちが北朝鮮に渡りました。韓国では独立運動の「正規軍」のような存在として崇められている「光復軍」の司令官も、北朝鮮に渡り、後にソ連から朝鮮戦争の許可を得る、大きな手柄を残し、かなり出世したと言われています。結果がおもわしくなかったからか、結局は処刑されましたが。

朝鮮半島の南側に政府ができてからも（1948年）、民族という概念は重要でした。北と南に分かれていたため、民族という概念は「統一」への支持を強化できました。それからも民族主義式教育は愛国心を強化する効果があるとして、続きました。

40代以上の韓国人なら誰もが知っている「国民教育憲章」も、「私たちは民族増興の歴史的使命を帯びてこの地に生まれた～」となっています。しかし、この点を北朝鮮に逆利用され、北朝鮮の思想にハマった人たちが、「北朝鮮のために」ではなく「民族のために」としながら活動できる、抜け穴を作ってしまうことになります。愛国心のために続けた民族教育が、反共主義を内部から崩す皮肉な結果になったのです。

いまでも、韓国の左派（リベラル派）には、軍事政権時代に活動家だった人たちが多く、彼らは民族という言葉を特によく使いますが、民族の敵は北朝鮮ではなく、日本だと主張しています。日本を民族の敵にすればするほど、北朝鮮は「韓国と同じ被害者」というイメージが強くなるからです。

「神は唯一、反日神しかいない」

このように、韓国の近代・現代史は、「民族」という概念に依存しすぎました。そして、その民族という概念のためには、反日思想が必要です。日本が韓国を植民地にして、悪魔のような支配を行った、韓国はその絶対的な被害者だ、そんな「設定」が無いと、韓国人の精神世界に強い影響を及ぼしている「民族」という概念は、根本から崩れることになります。

一部、歴史の事実を研究し「併合時代はそんな時代ではなかった」と主張する高い志の方々もいますが、多勢に無勢。その設定は、いまでも韓国の絶対的な「国是」です。政権の旗色、または国際情勢の必要性などにより、その強弱が変わるだけです。

子供の頃から「神は唯一、反日神（※仮名、無職）しかいない」と教育を受けて育った人に、「他の宗教の人たちとも仲良くしないといけないし、他の神の存在も認めなさい」と言うと、その人はどう答えるのでしょうか。彼なりに空気を読んで「仲良くするのはとてもいいことですね」と答えてくれるかもしれません。

しかし、それは本音でしょうか。というか、このようにしてまで「仲良くしないといけない」理由があるのでしょうか。そう、こんなやり方で接することは、果たして肯定的なものでしょうか。「仲良くすべし」という側面だけにこだわりすぎているのではないでしょうか。韓国にとって「日本と友好国になる」ということが、ちょうどそんな感じです。

韓国の併合時代観、日本観について、それが嘘だと分かっていながらも、「本当にどうだったかはともかく、時代が変わったから、蓋をしていいではないか」と考える人たちもいます。日本でK-POPが人気だから、韓国で日本アニメが人気だからと、個人の趣味を外交の未来として語る人たちもいます。思えば、謝罪すればいいだろうとしてきた戦後日本の対韓外交も、それと同じものでしょう。

ですが、残念ながら、その結果は失敗でした。「優秀な民族」という概念が韓国社会に残っているかぎり、その「嘘の一行」たる反日思想も、消えません。嘘の一行とは、ナチスの名高い（悪い意味で）扇動家だったヨーゼフ・ゲッベルスの言葉に出てきます。大衆を扇動するための最大の原動力を「怒りと憎しみ」だと信じた彼は、このように話しました。「扇動は嘘の一行でもできるが、それに反論するには数十件の資料が必要だ」。その資料が集まる頃には、すでに扇動は成功した後です。

日韓関係「改善」について思うこと

「空港の出国ゲートの話がどうしてこうなった」とか、「いくらなんでも偏見ではないのか」という疑問提起なら甘受しますが、私はこう思っていますし、これからも変わらないでしょう。何せ、そういう観点から入って、シンシアリーになりました。

日本人になった理由のすべてが「これ」ではありません。日本で住むという概念を、日韓関係などという、日本の極めて一部の要素で決めたわけではありません。それは、日本という広大な可能性を日韓関係という小さな部品に縛るような愚行です。

でも、シンシアリーという存在が、私の中で大きな部分を占めているのもまた事実。日本で暮らせるようになったきっかけもまた、私の中の「シンシアリー」たる部分のおかげでした。だから、私はどうしても日本と韓国という二つの国名が出てくると、こういう反日思想、そしてそれに毒された社会についてまっさきに考えてしまいます。見識が狭いと言われても仕方ありません。適当に中立ぶって見識の広い人のふりをする理由はありませんから。

日本で韓国との「関係改善」という言葉が流行るたびに、特にそう思います。「悪化を遅くする」「悪化を棚上げにする」「何かの都合で、本当に重要な部分は隠す」にすぎないのではないか、と。韓国にとって日本との「改善」は、改宗勧誘のようなものです。いつか、さらに強い反日思想として爆発します。

尹大統領のインタビューは本当に誤訳だったのか

4月24日、『ワシントン・ポスト』とのインタビューで、尹大統領は「100年前のことで日本人が跪《ひざまず》いて謝罪すべきだとする主張を、私は受け入れることができない（I can't accept the notion that because of what happened 100 years ago～）」と話しました。韓国の憲法前文には、併合時代は違法的なものだったとする趣旨（亡命政府の存在）が書いてあるため、私見ではありますが、この発言は、憲法の趣旨に反するものではないかと憲法裁判所の判断を求められる可能性もある、韓国としては大きな問題発言になります。

私は、併合時代とて、一つ一つのすべての案件、個人個人のすべての事例まで例外なく全部取り上げて「いまの」価値観で判断すると、問題になることもあっただろうと思っています。というか、そうやって一つ一つの案件を気にして何の問題もない期間など、人類史にあるのでしょうか。過去だけでなく、現在、たぶん未来にも、ないでしょう。

広い視野で見ると、併合時代において日本が韓国に謝罪する必要など、そもそもありません。しかし、韓国では、そう思う人でも、言い出せる社会ではありません。慰安婦は売春業だったと話した学者が裁判にかけられ、本は修正される、そんな社会です。政治家なら、なおさらです。

そんな中、大統領が「私は、１００年前のことで日本人が跪いて謝罪すべきだとは思わない」と話した、と。なんということでしょう。オーマイガー。オーマジカー。まさに画期的な発言です。「日本は事実上の敵国」など反日発言が多く、尹大統領と政治的に犬猿の仲である野党「共に民主党」の李在明《イジェミョン》代表すらも、この話を記者から初めて聞いたとき、「まさか、何かの誤訳だろう」と話すほどでした。いくらなんでもそれはない、なにかの間違いだ、と思ったのでしょう。

ちなみに、いまこの人が「次の大統領にふさわしい人」１位です。その後、『ワシントン・ポスト』から原文を確認してからの、野党、一部与党内議員たちの反応は、火を見るより明らかでした「発言を取り消せ」「国民に謝罪声明を出さないといけない」、などなど。

私もまた、24日夕方まで、様子を見ていました。何かの間違いだ、大統領にそんなことが「言える」はずがないからです。でも、こうも思っていました。この発言が事実なら、尹大統領は勇者である、韓国を根本的に変えようとした人だ、と。

ですが、夕方、与党「国民の力」は、「ワシントン・ポスト記者の誤訳だ」と公式に発表しました。もともと尹大統領が話したのは、ヨーロッパ地域が100年前に多くの対立を経験したにもかかわらず、いまはお互いに協力しているという内容であり、そこで、「100年前のことで跪いて謝罪しろと言っても、（日本の人たちは）そんな話は受け入れない。だから、決断が必要なのだ」、という意味だった、というのです。「日本の人たちが」という主語の部分は実際には言わなかったものの、文章からして間違いなくそういう意味なのに、『ワシントン・ポスト』の記者がミスを犯したものだ、と。

大統領室が公式に資料も出しました。そのあと、『ワシントン・ポスト』の記者はツイッターに「もう一度確認したけど、大統領は「私はそんな話は受け入れることができません（I can't accept〜）」と話した」としながら、反論しました。

さすがに、インタビューの際の録音ファイルまで公開することはできなかったでしょうけど、『ワシントン・ポスト』側も相応の確認をしたようで、記事を修正せず、そのまま維持しました。記者は韓国系の方です。

個人的に、これは誤訳ではなかったと思っています。読者の方々からすると「そこまで問題になる発言には見えませんけど」でしょう。その点です。もっとも大事なのは、そこです。尹大統領と岸田総理のことで、どれだけ関係改善という単語がメディアを駆け回ったでしょうか。しかし、100年前のことで日本人が跪いて謝罪すべきだとする主張を、「私」は受け入れることができない。これが言えないのです。言ってはいけないのです。これが、限界です。

日韓の「架け橋になる」とは言えない

こういう関係を掘り返す側面からシンシアリーになった私としては、どうしても日韓関係となると、「架け橋になる」とか「両国のために」とか言えなくなります。人それぞれ立場も異なるだろうし、異なって当然でありましょう。私がこう考えているから他の人たちもこう考えないといけないとか、そう思うほど私もバカではありません。

生まれ育った国を「嫌いだ」と言い捨てるつもりもありません。親も家族も韓国人だし、私も韓国人で生まれ育ちました。それを「嫌い」という一言で片付けることができるのかどうか、まずそこから疑問です。そう白か黒かで両断できる問題なら、誰も何も悩まないでしょう。しかし、だからこそ、私もまた私とて、この「シンシアリーとしての日韓関係」を、いつからか、「韓国で生まれ育った自分としての日韓関係」より優先するようになりました。

出国ゲートを前にして感じたことは、その結果、でしょうか。話が急に「韓国人による○韓論」シリーズのようになりましたが（次からはタイトルに「元」が付くのでしょうか）、率直に書きました。

おわりに　～バスツアーと居酒屋にハマる～

　そして、出国ゲートを通過してからは、飛行機の搭乗時間までダラダラと過ごし、これといった問題なく、日本に向かって出国しました。いざ飛行機に乗ってみると、反日がどうとか硬い話もあまり気にならず、これからやることについても考えてみました。顔と名前を公開したほうがいいだろうか、それともいまのままでいいのだろうか、など。
　結局今回は見送りと致しましたが、引退（時期未定）前には明らかにしたほうが礼儀ではないだろうか、とも思っておりますが、どうでしょうか。まだ何も決まっていないし、扶桑社の方々とも話してみないといけないので、未定のままです。

　手続きもまた、完全に終わったわけではありません。まだ韓国で納付した国民年金問題が残っています。こちらも日本に送金しないとなりません。国籍が変わったので、韓国で納付した国民年金は全額一時金支給として返してもらえるからです。こちらは国民年金公団のほうから私の日本の口座に直接送金してくれると聞いていますが……当たり前ですが、相応の手続きは必要です。

今回、いろいろと書類とかそんなものを用意しながら強く感じたことですが、インターネットインフラなら世界どこの国にも引けを取らない韓国なのに、Eメールで連絡するのが思ったより高難度でした。

銀行のカスタマーセンターなどに問い合わせても「詳しくは該当支店に問い合わせてください」という結論で、該当支店の人と連絡する方法がありません。Q&Aなどで書いてある一般的なことならともかく、外国から（私の場合日本から韓国に）問い合わせることは、電話をかけるしかないのがほとんどでした。待たされるし、担当者が席を外しているというし……どうかな、と思いました。結局、前に不動産関連でEメールをいただいた銀行のスタッフの方に「関係ない件で申し訳ございません」とメールを書いて、それからやっと担当職員とEメールでのやり取りができました。

この不動産とは、たとえば日本に不動産を買った韓国人の場合、それが投機目的ではないと証明するため、2年に1回は不動産所有者関連書類を韓国に送らないといけません。その際に韓国から私のメールアドレスに連絡が来ていましたので、それを利用しました。国民年金も、事前にちょっと問い合わせたことはありますが、やはり結局は電話でした。しかも担当者がいないので明日もう一度電話ください、とのこと。

せっかくここまでネットが普及しているのに、外国からの問い合わせのための手段ももう少しあったほうがいいのではないか、と思いました。韓国から日本に問い合わせたことは無いので日本側がどうなっているのかは分かりませんが、お金も人も、外国からの往来も何かと増えるであろう今日この頃、こういうのは重要ではないでしょうか。

韓国から送金したお金を日本側で受け取るにも、相応の証明書類が必要なので、その手続もしなければなりません。こちらも事前に銀行の方と相談し、どんな書類や資料が必要なのかは把握しておきました。他にも、まだまだやることは残っています。

帰ったらブログの読者の方々にもちゃんと報告しないといけませんし、私の事情で延期となっていた本の原稿（本書の原稿のことです）も書き始めないといけません。「明日から」頑張ります。そして、毎年ご祈祷《きとう》を受けている伏見稲荷大社《ふしみいなりたいしゃ》に、お礼参りしないといけません。

家の近くの神社には神職の方がいないので（大晦日《おおみそか》などの日だけいらっしゃいます）、毎年ご祈祷は伏見稲荷大社で受けてきました。いつもお願いばかりで申し訳ありませんでした。今回ばかりは、純粋に「ありがとうございます」だけお伝えできれば、と思いました。伊勢神宮にもお参りして、御神札をいただいて、お稲荷様の御神札と一緒に参るようにしたいところですが、さすがに伊勢神宮までは日帰りは難しいので、梅雨が終わってからになるかもしれません。

ネットで調べただけの知識ですが、伊勢神宮では「自分のための」祈りはするものではない、感謝だけお伝えする、とのこと。すごいことだな、と思いました。キリスト教もそうですが多くの信仰、宗教では感謝を重要視しますが、「自分のための祈り」を排除できる場所って、地球上にどれぐらいあるのでしょうか。

それから幸い、梅雨が終わる前に、京都の伏見稲荷大社と、長野の上高地に行ってきました。伏見稲荷大社は、久しぶりに人が多く、外国人観光客の方々も含めて、楽しそうに見えてなによりでした。

ここは、日本でも人気ですが、外国人観光客からするとまさに「マスト」とされる場所で、人気が尋常ではありません。文化とか神道とかそういうのもありますが、アニメに稲荷神社「的な」絵が出てくることが多いのも一つの理由ではないでしょうか。いつもは、ありがとうございますとしながらも、心のどこかでは「よろしくお願いします」と言いたがる自分がいましたが、今回ばかりは「ありがとうございます」だけに専念しました。思えば、こういう経験も初めてで、私はまだまだだな、と思いました。

最近、日本のバスツアーにハマっていて、上高地は日帰りのバスツアーで行ってきました。私が目的地を決めるとき、いつも自分好みの場所しか決めないので、3~4箇所の観光地（たまに「買い物」タイムもありますが）をめぐるバスツアー、鉄道ツアーは、私が知らない、またはこれまで興味がなかった観光地についても新しい発見があって、最近どっぷりハマっています。「つい先、手続きがどうとか本の原稿がどうとか言っておいて上高地まで行ってきたのかよ」とか言わないでください。書いている時点では「たぶん」ですが、本が無事完成したからこういう話もできるわけですし。

上高地は、前から行ってみたかったというのももちろんありますが、やはり韓国で感じた「閉鎖感」をなんとかしたかったからです。結果、実に素晴らしい景色が見られ、閉鎖感のストレスが見事に吹き飛んでしまいました。今回は大正池から河童橋まで歩きましたが、機会があれば明神池まで歩いてみたいと思いました。

なんというか、『もののけ姫』のような風景の連続で、日本の良さをまた一つ見つけた気がしました。YouTubeなどで上高地の動画を見たとき、木が倒れたまま放置されていたので「ああいうのは片付けたほうがいいのではないだろうか。せっかくの素晴らしい景観なのに」と思いましたが、こちらもまた、私はまだまだだったようです。

実際に自分の目で見てみると、全然違います。なぜでしょう。そういうのは片付けないと気がすまない性格ですが、そのままにしたほうがいいと、一瞬で分かりました。倒れている木もまた、景色の一部だったから、でしょうか。

時間を飛行機の中に戻しますと、いつのまにか、飛行機の窓から日本が見えてきました。金浦《キンポ》空港から羽田空港まで2時間から2時間半ぐらい。あっという間です。椅子とテーブルをもとの位置に戻して、羽田空港に着陸、「帰国」しました。すごい解放感、または安心感につつまれたことを、いまでも覚えています。韓国が危ないところだったという意味ではありません。会社から自宅に帰ってきたときのような、そんな感覚でした。

羽田空港に入ってから、すぐに耳に入ってくる、無数の感謝や配慮の言葉、どうも、どうぞ、ありがとうございます、すみません、ごめんなさい、その他いろいろ。1週間ぶりなのに、ずいぶんと久しぶりに接するような、懐かしさがありました。今回は空港バスを利用して家近くの駅まで移動しましたが、バスが出発するまではもちろんのこと、バスが出発したあとにも、二人のスタッフの方が乗り場で頑張ってくれました。バスが出発したあとにも、バスに向かってお辞儀をしてくれました。空港の方ではなく、たぶんバス会社の方でしょうか。彼らの姿は、バス内からはよく見えません。バスが歩道近く停まるので、歩道に立っている彼らの姿は、窓からだとなかなか視野に入りません。わざわざ窓近くで少し下の方を見て、やっと見えます。

「ソース記事」が見当たらないので詳しくいつの記事なのかは分かりませんが、旧ブログ（アメブロ）のとき、「なぜ誰もいない列車に頭を下げさせるのか」と韓国の鉄道公社に苦情を入れた人の話を紹介したことがあります。苦情を入れた人曰《いわ》く、列車の中を掃除する方が、誰も乗っていない列車に向けて頭を下げた（お辞儀した）、こういうのは無くすべきだ、というのです。

人の乗っていない列車に頭を下げるなど、強者（公社）による弱者（頭を下げた人）への過酷な仕打ちだ、列車が人より「上」なのか、とする趣旨です。旧ブログからの読者の方なら、覚えておられる方もいるかもしれません。いまは旧ブログは閉鎖したので自分でも見られませんが、当時、コメント欄でかなりの反響がありました。苦情を入れた人が、列車に人が乗っていないことをどうやって確認したのかはわかりませんが、そういう理由で苦情を入れた人がいて、新聞にも載ったということは、相応の騒ぎになったのでしょう。

そこまで「人」の立場を崇高に思うなら、なぜコーヒーに「いらっしゃいます」と言わないと怒られる社会になったのか、わけがわかりません。確か、事物尊称などの話が話題になる数年前の記事だったはずです。

今回、バスにお辞儀をしてくれる方（しかも結構若い）たちを見て、改めてその記事のことを思い出しました。この場合は人が大勢乗っていましたが、日本では、誰も乗っていない列車やバスにも同じく礼を示してくれる方たちを何度も見ました。私には、美しく見えました。もちろん、苦情を言う人がいるという話も聞きません。

長い間、電球を製造してきた工場の機械に、電球生産を終了しながら該当部署の人たちが機械に向かって深く頭を下げ感謝を伝える写真が新聞広告として載ったこともあります。これこそ、私が憧《あこが》れた日本の「尊」の示し方。窓からかろうじて見えるスタッフの方に、つい私も「ありがとうございます」とつぶやきました。そう、私になにかが伝染《うつ》ってきたのでしょう。

そして、すぐに、バスがあまり揺れないことに気づきました。運転する方の腕の差でしょうか。道路の平らさの差かもしれないし、バスを作った会社の技術力の差かもしれないし、整備を担当する方々の差かもしれません。でも、確実に「揺れない」ことが分かりました。今回、韓国でバスにもタクシーにも結構乗りましたので、その差は一発で伝わってきました。

先の技術などの理由の他にも、韓国の場合、いろいろ良からぬ意味でユニークな「揺れ」がありまして。一例として、全国各地の道路にまだまだ車のスピードを強制的に落とすための「凸部《とつぶ》（ハンプ）」が残っています。旅行などで韓国で経験済みの方も多いでしょう。韓国では「過速防止トック（敷居）」と言います。「韓国　道路　ハンプ」などで検索してみると、画像がヒットします。国内でも「なぜこんなものを全国的に作ったのか」と批判が多いですが、まだまだたくさん残っています。

道路にもよりますが、これが2～3分間隔で相次いで出てくると、運転の方がどれだけ頑張っても、後ろ座席に載っている人は酔いそうになります。道路が凸凹《でこぼこ》しているところも多いし、何より、スピード出しすぎからの、スピードカメラの直前で急ブレーキというパターンが多いので、実に酔います。タクシーなどが、そこまで早く走るからといって、日本より「目的地に早く着くのか？」というと、頭の中でやった大まかな計算ではありますが、それほど差もありません。困ったものです。

羽田空港で乗ったバスの快適さ、揺れなさは、先の感謝や配慮の言葉とともに、「あ、日本に帰ってきた」と実感できる時間でもありました。面白いのは、その1週間前、韓国に行くために羽田空港に向かうときにも同じバスに乗りましたが、そのときは「揺れない」など思いませんでした。普通だと感じました。日本にいる間、贅沢《ぜいたく》に慣れていたのでしょう。

私は、子供の頃から乗り物酔いに弱い体質です。ビデオゲーム好きですが、いまだFPS（主観視点シューティング）はやりません。全然できないというほどではありませんが、あえてやりません。ディズニーランドにある「スターツアー」など、揺れるタイプのアトラクションにも酔います。自慢じゃありませんが、外に出るときには市販の薬を携帯します。今回の韓国旅行にも、バスを利用することが結構あったので、酔い止め薬を日本から持っていき、毎朝飲みました。それでも酔う場面では酔いましたけど。

乗り物酔いの中でも子供の頃から特に嫌だったのが、バス酔いです。最近はほとんど無くなりましたが、韓国でも1980年代までは、夏休みと冬休みにはかならず劇場版アニメが公開されました。日本のスーパーロボットアニメを真似したものでしたが、中には「どう見ても北朝鮮にしか見えない」国で戦う少年の話など、それなりにオリジナリティを持つものもありました。それは、当時としては小学生たちにとって夏・冬休み最大の自慢事で、私もよく母と一緒に映画館に行ってそれらのアニメを見ました。

ですが、映画館の場所によってはバスで行くしかないところがあって、また、バス以外に交通手段もあまりなかった時代です。バスで行くと、間違いなく酔います。アニメ見たさに耐えはしたものの（笑）、本当に最悪の気持ちでした。清渓川《チョンゲチョン》という場所にある映画館、確かアセア劇場だったかな、特に西部劇、ジャッキーチェンの映画、アニメなどの上映が多い映画館でした。いまは無くなったと聞きます。

そこまでバスで行って、降りた後に道に吐いたことがあり、もうトラウマです。大人になってからはある程度耐えられるようになって、飛行機とか船とかにも普通に乗りますが、まだまだ酔いやすいほうで、特にバスだけは、韓国にいたときは余程のことが無いと乗らないことにしていました。実際に酔うよりも、たぶん、子供の頃の「バスは嫌だぁ」という記憶が残っているから、でしょうか。

そんな私が、日本ではバスツアーにハマっています。必要によって薬を飲むこともあるにはありますが、思えば、ありえない進化です。しかも、こういうのを「普通」と思っていたとなると、もはや事件です。

人は、良いものにはすぐ慣れます。そして、そのありがたさを感じなくなったりします。「有る」が「難い」という気持ちあってこその「ありがたい」なのでしょう。それを「普通にあるもの」と思ってしまうと、見逃してしまい、世の中の「ありがとう」は一つずつ消えていくことになります。私がそんなミスをしていたのではないか、バスの窓から美しい東京の夕景を見つめながら、そう思いました。忘れずに後で本に書こう、とも。

バスから降りた駅、いつもの店、居酒屋で夕食を取りました。いつもの店、いつもの味が、ずっと贅沢に感じられました。グックじゃないけど、全体的に「津（ジン）さ」があったからでしょうか。いらっしゃいませという元気な声から、出てくる料理まで、すべてがこの上ないおもてなしに感じられました。ああ、なんて美味《おい》しい。おつかれ私。増えろ体重。

まだ日本に移住する前、横浜で「オフ会」がありました。その際、ある方から「日本人には居酒屋が必要なんですよ」と言われたことがあります。いままでも何度か「確かに」と思ったことがありますが、この日、一番そう思いました。

ただいま、日本。ありがとうございます。

イラスト　こつじゆい
デザイン　小栗山雄司

シンシアリー（SincereLEE）

1970年代、韓国生まれ、韓国育ちの生粋の韓国人。歯科医院を休業し、2017年春より日本へ移住。2023年帰化。母から日韓併合時代に学んだ日本語を教えられ、子供のころから日本の雑誌やアニメで日本語に親しんできた。また、日本の地上波放送のテレビを録画したビデオなどから日本の姿を知り、日本の雑誌や書籍からも、韓国で敵視している日本はどこにも存在しないことを知る。アメリカの行政学者アレイン・アイルランドが1926年に発表した「The New Korea」に書かれた、韓国が声高に叫ぶ「人類史上最悪の 植民地支配」とはおよそかけ離れた日韓併合の真実を世に知らしめるために始めた、韓国の反日思想への皮肉を綴った日記「シンシアリーのブログ」は1日10万PVを超え、日本人に愛読されている。初めての著書『韓国人による恥韓論』、第２弾『韓国人による沈韓論』、第３弾『韓国人が暴く黒韓史』、第４弾『韓国人による震韓論』、第５弾『韓国人による嘘韓論』、第６弾『韓国人による北韓論』、第７弾『韓国人による末韓論』、第８弾『韓国人による罪韓論』、第９弾『朝 鮮半島統一後に日本に起こること』、第10弾『「徴用工」の悪心』、第11弾『文在寅政権の末路』、第12弾『反日異常事態』、第13弾『恥韓の根源』、第14弾『文在寅政権最後の暴走』、第15弾『卑日』、第16弾『尹錫悦大統領の仮面』、第17弾『韓国人の借金経済』（扶桑社新書）など、著書は70万部超のベストセラーとなる。

韓国人として生まれ、日本人として生きる。
～新日本人による日韓比較論～

発行日　2023年8月8日　初版第1刷発行

著　者　シンシアリー
発行者　秋尾弘史
発行所　株式会社 扶桑社
〒105-8070
東京都港区芝浦1-1-1　浜松町ビルディング
電話　03-6368-8870（編集）
03-6368-8891（郵便室）
www.fusosha.co.jp

DTP制作　株式会社 Office SASAI
印刷・製本　中央精版印刷 株式会社

Printed in Japan　ISBN 978-4-594-09536-9